This is
Cartagena

ASI
ES
CARTAGENA

This is
Cartagena

ASI
ES
CARTAGENA

ediciones
gamma

CONSUELO MENDOZA EDICIONES

Dirección Editorial

CONSUELO MENDOZA DE RIAÑO

Fotografías

ANDRES LEJONA

Gerente de Ediciones Gamma

GUSTAVO CASADIEGO CADENA

Fotografías antiguas	Fundación Fototeca Histórica de Cartagena
Diseño y Diagramación	Enrique Franco Mendoza
Armada Electrónica	Martha Chavarro Barreto
Corrección de textos	César Tulio Puerta Torres
Leyendas	Helena Cervantes Carlota de Olier
Leyendas históricas	Ricardo Franco Mendoza
Digitación textos	María Teresa Mendoza
Traducción al inglés	Lucas Rincón
Comercialización	Elizabeth Pinzón Publicidad y Medios Nydia Bahamón
Preprensa digital	Zetta Comunicadores
Impresión	Panamericana Formas e Impresos S. A.

Una publicación de Ediciones Gamma
con la producción de Consuelo Mendoza Ediciones

ISBN 958-9308-52-X

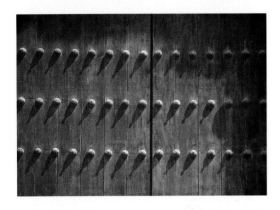

INDICE

Si decimos que Cartagena es única no estamos exagerando. Ninguna ciudad tiene esa mezcla asombrosa que nos habla de un pasado con piratas, fortificaciones, joyas coloniales, Ciudad Heroica, al mismo tiempo que nos muestra un presente con modernos edificios a la orilla del mar, playas privadas en las que pueden practicarse deportes náuticos, un Centro de Convenciones internacional, islas con grandes mansiones, hoteles y restaurantes que figuran en las guías más exigentes… Sí, Cartagena es única.

Y también es único este libro que usted tiene en las manos. Al hojearlo, y al leerlo, se dará cuenta de ello. No es uno más de los muchos que se han publicado. Con él conocerá rincones que quizá no había descubierto, aunque la haya visitado. Apreciará las admirables fotografías de Andrés Lejona, y su visión internacional. Se sorprenderá con las fotos antiguas que descubrimos en la Fototeca de Cartagena y su pequeña historia de principios de siglo. Pero sobre todo, la "vivirá" a través de lo que de ella nos cuentan sus distintos autores, todos cartageneros y todos más que conocidos. Nicolás del Castillo dibuja los grandes rasgos de una historia apasionante que tuvo momentos de gloria y pena, de prosperidad y decadencia, de rebeldía y de sacrificio; Augusto de Pombo explica por qué Cartagena está signada como punto focal del turismo internacional y por qué es preeminente en el área del Caribe; Lácydes Moreno Blanco preparó una suculenta nota sobre la gastronomía de la región; Jorge García Usta nos hace recorrer el mundo de la cultura local en el siglo XX, con nombres tan sugestivos que van desde "el Tuerto" López hasta García Márquez; Raimundo Angulo, con conocimiento de causa, nos hace caer en la cuenta de la importancia del Concurso Nacional de Belleza, el certamen que cada año paraliza a Colombia, y Rodolfo Segovia muestra otra faceta interesante de Cartagena, la de su empuje industrial y la importancia que tiene para la economía del país.

Este es el libro que cada colombiano querrá tener y mostrar con orgullo. Que todos los visitantes se llevarán para hablar bien de nuestro país. Que explica por sí solo, por qué Cartagena fue declarada Patrimonio de la Humanidad.

CONSUELO MENDOZA DE RIAÑO

BREVÍSIMA HISTORIA DE CARTAGENA

NICOLÁS DEL CASTILLO MATHIEU

Si bien fue trascendental el papel desempeñado por Cartagena en la Colonia y en la Independencia, como trataremos de mostrarlo aquí, fue mucho más importante su contribución a la civilización americana en los tiempos precolombinos. En efecto: en la década de 1960 Gerardo y Alicia Reichel-Dolmatoff descubrieron en Puerto Hormiga (a cincuenta kilómetros de Cartagena) la cerámica más antigua de América desde Alaska hasta la Tierra del Fuego, dos mil años antes que ésta se conociera en México y en Perú. Posteriormente, el arqueólogo Augusto Oyuela descubrió en San Jacinto (a cien kilómetros de Cartagena) un yacimiento anterior que traslada a esa población el honor de ser los inventores de la cerámica y seguramente de la agricultura en nuestro continente. Estos acontecimientos tan sobresalientes han sido escasamente conocidos y destacados a pesar de que hay pocas cosas tan significativas en la historia como pasar del estado de recolectores nómadas al de cultivadores de la tierra y transformadores de sus productos, mediante la cocción y el almacenamiento.

En 1502, en un viaje que sólo duró cuatro meses, Rodrigo de Bastidas descubrió toda la costa atlántica de Colombia y, con ella, la Bahía de Cartagena, a la cual probablemente bautizó así por ser tan cerrada como la de Cartagena en España, aunque mucho más grande la de América. El primer gobernador de nuestra costa caribe fue el descubridor Alonso de Ojeda, quien se detuvo un tiempo en Cartagena (1509-1510) probablemente porque pensó en establecer allí la capital de su gobernación pero se lo impidieron los valerosos indios turbacos, que mataron a su lugarteniente Juan de la Cosa "en Matarap", según dice Oviedo. Cerca de Turbaco existe hoy todavía una poza o jagüey que se llama Maparapa (que fue también el nombre de una hacienda en la orilla de la Bahía de Cartagena). Otro compañero de Ojeda era Diego de Ordaz, futuro conquistador de México.

La muerte del célebre piloto De la Cosa causó comprensible consternación y espanto en Europa. Pasarían casi 25 años antes que otro conquistador, el madrileño Pedro de Heredia, se decidiera a fundar la ciudad de Cartagena el 1o. de junio de 1533, en un

Eterno guardián del Castillo de San Felipe es Blas de Lezo, héroe contra el sitio que el almirante Edward Vernon le impuso a Cartagena en 1741, y de muchas otras batallas libradas en el Mediterráneo, en las cuales perdió un ojo, una pierna y un brazo.

San Felipe Fortress' eternal guardian is Blas de Lezo, hero during Admiral Edward Vernon's siege on Cartagena, and of many other battles fought in the Mediterranean, thanks to which he lost an eye, leg and arm.

poblado indígena que la Capitulación de 1508, con Ojeda y Nicuesa, llamó Curamari, y una Real Cédula de 1534 designó como Calamar. En 1535, el primer obispo de Cartagena, fray Tomás de Toro, acusó a los conquistadores de "ensangrentar sus manos matando y partiendo por medio niños, ahorcando indios, cortando manos y asando algunos indios e indias", esclavizando a los que quedaban vivos y enviándolos a Santo Domingo. Denunció también "los muchos conversos que hay en todas partes" de la provincia de Cartagena.

El asentamiento español en el antiguo imperio de los incas y los numerosos tesoros allí encontrados atrajeron gran cantidad de pobladores hacia Cartagena que bien pronto se convirtió en una escala importante, junto con Panamá, del creciente comercio que se estableció entre Perú y España. Esto marcó su destino y explica su carácter de Ciudad Amurallada y Fortificada. La primera flota vino a Cartagena en 1537 al mando del capitán general Blasco Núñez Vela, futuro virrey del Perú. Permaneció la mayor parte del tiempo en Cartagena, lo que sería después la regla. Empleó menos de quince días en ir y volver de Nombre de Dios y cargar el tesoro allí.

Durante casi todo el período colonial, Cartagena fue el punto final de la flota de galeones que anclaba en ella para dar lugar a una primera feria comercial con los mercaderes de Santafé, Antioquia, Popayán y aun Quito. Los navíos que todavía quedaban cargados iban luego a Nombre de Dios (y después a Portobelo) para vender sus mercancías y recoger la plata que venía del Perú, y regresaban a Cartagena para encaminarse a La Habana y volver a España. La presencia de los galeones en Cartagena era cuando menos de seis meses y, a veces, de un año o más. Ninguna ciudad hispanoamericana mantenía un contacto tan estrecho con la madre patria, y especialmente con Sevilla y después con Cádiz. Cartagena se convirtió en el Nueva York de Suramérica. Por ella pasaron todos los virreyes que iban o volvían del Perú y los oidores que iban o venían de las Audiencias de Lima, Charcas (Bolivia), Santiago y Buenos Aires. Para explicar la constante y marcada influencia andaluza en el Caribe, un lingüista español escribió que la flota era un verdadero "puente de madera" entre las dos regiones. Esto es particularmente cierto en lo que respecta a Cartagena.

La flota de galeones llegó a ser de ochenta o noventa barcos a finales del siglo XVI. En el medio siglo siguiente disminuyó el número de naves y la frecuencia de los viajes, pero en cambio los barcos eran de mayor porte y traían telas finas en más alta proporción que los voluminosos cargamentos de antaño (vinos, hierro, aceite, jabones y "ropa"). Por otra parte Cartagena adquirió el doloroso privilegio de convertirse en el primer puerto negrero de la América española que recibió numerosos esclavos, sobre todo de procedencia bantú. Los mercaderes de esclavos eran mayoritariamente portugueses que tenían mucho dinero, lo que les permitió comprar cargos de

El Cerro de San Felipe construido estratégicamente sobre el Cerro de San Lázaro, hace evocar a la ciudad las gestas del pasado, cuando jugó papel importante en su defensa contra los muchos ataques de que ésta fue víctima. Cuenta con laberintos subterráneos cuyo recorrido final se desconoce porque el agua de mar los ha filtrado hasta convertirlos en verdaderos canales.

San Felipe Hill, strategically built over San Lázaro Hill, evokes the city's past epics. It played an important role in the settlement's defense against many attacks. It features underground mazes whose final destinations are unknown because sea water has flooded them into channels.

regidores. Hubo un momento en el que en el Concejo municipal de Cartagena había mayoría portuguesa. Según la historiadora Carmen Gómez, en un censo de extranjeros realizado en Cartagena en 1630 se encontraron 154 portugueses, trece italianos, siete franceses, dos flamencos, un polaco, un escocés, un judío y un tangerino. Todo esto desapareció en 1640 cuando Portugal se independizó de España.

De todos los gobernadores de la provincia de Cartagena, el más destacado fue quizá don Pedro Zapata de Mendoza, quien en 1650 abrió a sus expensas el Canal del Dique. Por esa misma época se acercaba a su muerte (1654) el santo jesuita Pedro Claver, quien dedicó toda su meritoria vida a aliviar las espantosas condiciones en que desembarcaban en Cartagena los esclavos traídos entonces directamente de Africa.

La influencia andaluza se incrementó en Cartagena en 1699 cuando el gobierno español envió a ella un nuevo contingente de quinientos soldados para reemplazar las bajas causadas por Pointis en su ataque de 1697. Carmen Gómez ha establecido que de este medio millar de soldados, 280 habían sido reclutados

Espadaña para la campana de aviso de San Felipe de Barajas.

San Felipe's de Barajas warning belfry.

en Cádiz, 175 en Sanlúcar, y otros en Sevilla. Casi todos se casarían con criollas y se incorporarían a la vida activa de la ciudad, que no contaba entonces más de 2.500 habitantes blancos. Fue pues un considerable aporte del veinte por ciento, lo que tuvo notable influencia en la vida futura de Cartagena e impidió su decadencia motivada por la deserción de sus vecinos más acaudalados, que se retiraron a Mompox, Honda, Santafé y Quito en los primeros años del siglo XVIII, aterrados con la experiencia del ataque y despojo de Pointis y sobre todo de sus feroces filibusteros.

Con el establecimiento de los holandeses en Curazao hacia 1630 y la conquista inglesa de Jamaica (1655), se incrementó notablemente el contrabando hacia la tierra firme, especialmente a través de Riohacha, Santa Marta, Mompox y de la propia Cartagena. Ello se hizo con la complicidad de muchos gobernadores en el siglo XVII y la primera mitad del XVIII (en la segunda mitad del XVIII hubo una saludable reacción) a pesar de que, por lo menos en el caso de Cartagena —eran casi todos militares de alta graduación, larga experiencia y avanzada edad—, los barcos negreros que ya

El Baluarte de San Ignacio le hace marco al clasutro de San Pedro Claver, donde vivió el "santo de los pobres".

San Ignacio Bastion picture frames the San Peter Claver's cloister, where the saint once lived.

no venían directamente del África sino de las colonias inglesas, holandesas y francesas del mar Caribe contribuyeron igualmente a la introducción ilícita de mercancías con el pretexto de que las traían para el uso y consumo de los esclavos. El contrabando se veía entonces con ojos benévolos, pues se consideraba como una justa reacción en contra del rígido monopolio español de las flotas (hasta 1737) y de los también excluyentes navíos de registro procedentes todos de Cádiz. A finales del siglo XVIII se decretó la libertad de comercio, la cual reanimó la actividad portuaria de Cartagena. También contribuyó a ello la presencia física, por cuatro años y medio, del arzobispo-virrey Caballero y Góngora en la vecina población de Turbaco y su política mercantil de amplio espectro. Ya casi al terminar esa centuria, en 1795, se estableció, tardíamente por cierto, el Consulado de Comercio, que duró hasta la década de 1830.

Cartagena tiene el honor de haber sido la primera ciudad colombiana que declaró su independencia absoluta de España el 11 de noviembre de 1811. El documento que contiene esta declaración parece que fue redactado con anticipación por José Fernández de Madrid, y es una pieza digna de atenta lectura y estudio por su prosa elegante, conceptuosa y noble. Madrid y otros hijos notables de Cartagena como Rodríguez Torices, José María del Castillo, José María del Real, Amador, García de Toledo, y Revollo, brillaron con luz propia en el escenario nacional y local en esa turbulenta época que culminó con el sitio de Pablo Morillo a Cartagena en 1815.

Restablecido Fernando VII en el trono, se propuso como tarea prioritaria reconquistar el Imperio español de ultramar, y envió para ello un ejército expedicionario al mando de un eficiente militar y de un hombre despiadado y cruel: el general Pablo Morillo, que le puso sitio a Cartagena en agosto de 1815. Al finalizar el siglo XVIII, Cartagena se había convertido en una ciudad inexpugnable gracias a las obras de defensa y fortificación que construyó durante más de medio siglo, el célebre ingeniero militar Antonio de Arévalo, así que la única manera de tomarla era por el hambre. En su Carta de Jamaica, escrita mientras duraba el asedio, Bolívar consideraba que Cartagena no podía ser vencida, pero lo fue porque Morillo cortó todas sus comunicaciones terrestres y marítimas y obligó a los cartageneros a alimentarse de gatos, ratas, cueros de muebles y otras inmundicias antes de perecer y entregarse el 4 de diciembre de 1815. Después de un rápido proceso, Morillo hizo fusilar a nueve patriotas, conocidos hoy como "los mártires de Cartagena".

Cartagena entró entonces en un período de decadencia demográfica y económica. Otros puertos, como el viejo de Santa Marta y el nuevo de Barranquilla, fueron desplazándola hasta que a finales de siglo XIX uno de sus más notables hijos, Rafael Núñez, llegó a la Presidencia de la República, la cual ocupó por doce años hasta su muerte en 1894.

Rafael Núñez nació el 28 de septiembre de 1825 y se educó en Cartagena, en cuya universidad estudió derecho y se graduó de abogado. Muy joven fue secretario general de varios gobernadores de la provincia de Cartagena, como los generales José María Obando, Tomás Herrera y Juan José Nieto. En 1853 concurrió a la Cámara de Representantes y tomó parte muy activa en la redacción de la Constitución de ese año. Fue entonces, a los 28 años, ministro de Gobierno del presidente Obando, y a los 30 años mi-

No pocas parejas de enamorados habrán tenido un fugaz encuentro en esta garita
que adorna el Baluarte de Santa Catalina, desde donde los centinelas vigilaban el mar abierto.

*Quite a bit of loving couples and many a brief encounter have rendevoused at this sentry
box adorning Santa Catalina Bastion, from where sentinels would watch over the open sea.*

nistro de Guerra y de Hacienda del presidente Mallarino. En este último cargo cumplió una notable tarea. Fue después senador por el Estado de Panamá, y en 1860 se opuso a la rebelión de Mosquera, pero triunfante éste, aceptó ser su colaborador en la dolorosa pero necesaria "desamortización de bienes de manos muertas". Concurrió por algunas semanas a la convención de Rionegro, pero luego se trasladó a Nueva York, donde lo tomó por sorpresa su nombramiento como cónsul en El Havre. Después fue trasladado al Consulado de Liverpool. Permaneció diez años en Europa y volvió de ella para aceptar la candidatura presidencial en 1875, pero fue derrotado por el fraude y la presión desatados desde el gobierno central. Fue entonces Presidente del estado soberano de Bolívar, y luego su senador. En calidad de tal presidió, en 1878, el Senado de Plenipotenciarios, y al darle posesión al presidente Julián Trujillo, pronunció su célebre frase: "Regeneración administrativa fundamental o catástrofe". Fue elegido Presidente de 1880 a 1882, y luego de 1884 a 1886, e impulsó la regeneración del país, que se plasmó en la Constitución de 1886, la cual rigió durante 105 años. Fue elegido nuevamente Presidente de la República de 1886 a 1892, pero sólo gobernó cortos períodos, pues consideraba cumplida su misión. Desde Cartagena, sin embargo, seguía orientando al país con su nutrida correspondencia y sus editoriales en el diario cartagenero *El Porvenir*, que gozaba de prestigio continental. Otra vez fue reelegido para el período 1892 a 1898, pero murió el 18 de septiembre de 1894 cuando se disponía a reasumir el poder. Un mes después falleció don Carlos Holguín, el jefe del ala conservadora del partido nacional que creó Núñez. Quedó así la regeneración en manos del sabio y eminente Miguel Antonio Caro, que por carecer de las dotes políticas de sus compañeros fallecidos, no supo conducirla a buen puerto.

Cartagena experimentó un renacer industrial y portuario a fines del siglo XIX y a principios de la presente centuria. A mediados de ella se reabrió definitivamente el Canal del Dique, que facilitó su comunicación con el río Magdalena pero que polucionó su bahía.

Cartagena es hoy un centro petroquímico y turístico de primera importancia.

Al recibir el rey Felipe II un informe de los costos de las obras de ingeniería militar en esa ciudad del Nuevo Reino,
se asomó al balcón de su palacio y exclamó: "Poco después de tal inversión, tendrían que verse las murallas de Cartagena desde la misma España".
La Batería de Santo Domingo muestra la magnificencia de que hablara el Rey.

*King Philip II, upon receiving a cost report of the military engineering works in this New Kingdom city, stepped out to
his palace balcony and cried out: "Shortly after this investment, surely we may be able to sight Cartagena's walls from Spain proper".*

Las ruinas del que fuera el Fuerte de San Juan de Manzanillo han sido restauradas, y hoy sirven como salón de conferencias de la Casa de Huéspedes Ilustres, construida a pocos metros de distancia (arriba). En la Isla de Tierra Bomba frente a la península de Castillo Grande en Cartagena existen todavía los hornos en los que se cocinaba la piedra caliza, extraída de las canteras de la isla para la fabricación de la cal utilizada como pegamento o cemento en la construcción de los muros de las fortificaciones (abajo).

The ruins of what once had been San Juan de Manzanillo Fort have been restored. Today they serve as conference rooms for the Illustrious Guests House's, built a few meters away (above). On Tierra Bomba Island, across from Cartagena's Castillo Grande peninsula, the limestone kilns still stand. Limestone was extracted from island quarries for the manufacture of paste or cement for construction of fortification walls (below).

Entrada al Fuerte de San Fernando de Bocachica, cuyo nombre rinde homenaje al monarca Fernando VI. Su estratégica
ubicación fue definitiva en la defensa de la Bahía de Cartagena, y sus mazmorras sirvieron de prisión ocasional de algunos de nuestros próceres.

*San Fernando de Bocachica Fort entrance. The fort was named in honor of King Fernando VI. Its strategic
location was decisive for Cartagena Bay's defense. It's dungeons served as prison for some of our founding fathers.*

SIGLO XX

Siglo XX y desarrollo resultan sinónimos en la historia de Cartagena. Al despuntar la nueva centuria la ciudad registró una fase de transformaciones profundas en lo económico, social, político y cultural. El desarrollo industrial y la consolidación de una elite empresarial, representada por comerciantes, banqueros e industriales —asociada a la migración extranjera—, jalonaron esta transformación que se plasmó en lo urbanístico, el arte, la literatura, las costumbres y la identidad cultural de los cartageneros. En las siguientes páginas, recurriendo a fotografías históricas, trazamos un breve recorrido en el tiempo.

XX Century and development are synonyms in Cartagena's history. At the dawn of the new century the City underwent significant business, social, political and cultural changes. Industrial development and the rise of an elite made up of businessmen, bankers and industrialists —related to foreign emigrations— encourged urban, art, literature customs and cultural changes. On the next few pages we take a brief photo tour in time.

Cartagena no fue tocada por las guerras civiles que estremecieron a Colombia a finales del siglo pasado. La paz y la apertura del ferrocarril que unió la ciudad con el puerto de Calamar sobre el río Magdalena, permitieron que la bahía recuperara su papel estratégico como puerto comercial sobre el Caribe. Algunas familias habían logrado consolidar capitales en torno de las actividades de comercio exterior y fabricación de bienes de consumo y se hacían los primeros ensayos de industrialización. En 1891 se contaba ya con una planta eléctrica, en 1904 con acueducto y a partir de 1905 se inició una transformación planificada de la ciudad.

La Torre del Reloj se construyó sobre la que en un principio fue la única puerta de Cartagena, exceptuando la de la Aduanilla que pasa por debajo del antiguo caserón de la Casa de la Aduana, actual Alcaldía de la ciudad. Fue edificada por el arquitecto autodidacto Luis Felipe Jaspe Franco por encargo del cabildo en 1876. Aquella puerta estuvo provista de puente levadizo, que se alzaba sobre el caño de San Anastasio. Este iba desde la Bahía de las Animas hasta el llamado lago del Cabrero o de Santa Catalina, a través de lo que

Cartagena was not scathed by the civil wars tormenting Colombia during the end of the last century. Peace, and the opening of the railroad joining the City to Calamar Port along the Magdalena River, gave back the bay its strategic Caribbean trading port role. Some family groups were able to sufficiently strengthen their capital net worths, thanks to their trading and consumer goods manufacturing business, to began dabbling in industry. By 1891 the City boasted a power plant, an aqueduct by 1904 and in 1905 the City's planned urban renewal was set in motion.

The Clock Tower was built over what was originally the only Cartagena gate, apart from the Small Custom's gate running underneath the Customs House mansion, currently City Hall. The Tower was built in 1876, pursuant to Town Council commission, by Luis Felipe Jaspe Franco, a self-taught architect. The gate featured a drawbridge over San Anastasio Stream. The Stream flowed from the Bahía de las Animas (Bay of Grieving Souls) up to the so-called Cabrero (Goatherd) Lake, or Santa Catalina Lake, through what is today's La Matuna development.

The left gate was opened in 1803 under don Blas de Soria's government, and the right gate in 1905 by order of the mayor, don Henrique L. Román; it was named Balmaceda in appreciation to the Cuban businessperson, Tomás Balmaceda, who contributed the construction of the Camellón de los Mártires (Martyrs' Ridge), as well as the Italian marble busts of the nine sacrificed on February 24, 1816, to which a tenth bust was added, that of Manual Rodríguez, for the sake of symmetry. The esplanade between the walled quarter and Getsemaní suburb was commissioned to don Luis Felipe Jaspe to be opened during the commemoration of the first independence centennial. The former Baharona and Media Luna (Half Moon) bulwarks were demolished, San Antonio Stream was filled-in and Getsemaní Market was built in 1904, demolished in 1978 to make way for the Convention Center. Centennial Park was built and, the up to then ruined houses inside the walled quarters, were repaired. The Cathedral and other buildings, intact since colonial days, began to experience façade modifications.

es hoy la urbanización de La Matuna. La puerta izquierda fue abierta en 1803, bajo el gobierno de don Blas de Soria, y la de la derecha en 1905 por orden del alcalde don Henrique L. Román; se bautizó Balmaceda como gesto de gratitud hacia el comerciante cubano Tomás Balmaceda, quien costeó de su propio pecunio la construcción del Camellón de los Mártires, así como la obra de esculpir en mármol de Italia los bustos de los nueve sacrificados el 24 de febrero de 1816, a los que se agregó el décimo, Manuel Rodríguez Torices, para que hiciera simetría. La explanada que separa el recinto amurallado del arrabal de Getsemaní, fue encargada a don Luis Felipe Jaspe para ser inaugurada el día de la celebración del primer centenario de la independencia. Los antiguos baluartes de Baharaona y de la Media Luna fueron demolidos, el caño de San Anastasio se cegó y en 1904 se construyó el mercado de Getsemaní —demolido en 1978 para dar lugar al Centro de Convenciones—. Se llevó a cabo la construcción del Parque del Centenario, y dentro del recinto amurallado las casas, hasta entonces en ruinas, comenzaron a ser reparadas. La catedral y otros edificios que se conservaban intactos desde la Colonia, empezaron a sufrir transformaciones en sus fachadas.

Otro de los signos del siglo XX fue el afán de los cartageneros por establecer viviendas fuera de las murallas para llevar una vida más acorde con las comodidades de la época. Siguiendo el ejemplo de don Rafael Núñez, quien desde 1877 se residenció en El Cabrero en casa de su esposa doña Soledad Román, se empezó a evidenciar una tendencia a urbanizar el Pie de la Popa, el norte del Castillo de San Felipe —El Espinal—, y la isla de Manga. El cambio en lo urbanistico significó el abandono de las viejas residencias coloniales y su consecuente deterioro físico y social. La ciudad antigua quedó como sede de comercios, entidades oficiales, oficinas y bancos. En Cartagena existían tres bancos y un mercado extrabancario constituido por aproximadamente diez prestamistas. Se iniciaba el surgimiento de una nueva generación con mentalidad empresarial y moderna.

Another XX Century feature was the rush by Cartageneans to set up homes outside the walls to enjoy the creature comforts of the times. Following don Rafael Núñez' lead, who in 1877 settled at the El Cabrero house of his wife doña Soledad Román, development began of Pie de Popa, north of San Felipe Fortress —El Espinal— and Manga Island. The urban changes meant the abandonment of the old colonial homes and their subsequent physical and social deterioration. The Old City was left as a business, government and banking area. Cartagena featured three banks and an extrabanking market made-up by ten moneylenders. A new generation with modern and business outlooks began to emerge.

Don Henrique Román y su hermano Rafael.

Don Henrique Román and his brother Rafael.

En 1905, Cartagena contaba con una población de 9.681 habitantes, el comercio local era estrecho, y la inversión pública se orientaba principalmente a la adecuación de la infraestructura de servicios que facilitasen el comercio portuario. La Botica Román fue uno de los primeros comercios orientados al mercado local y regional. Conforme la ciudad se transformaba, el antiguo puente llamado de Rebellín, construido de madera, y que unía el baluarte de la Media Luna en Getsemaní con el baluarte de San Lázaro frente al Castillo de San Felipe, sustituido por el Puente Heredia. Surgió un grupo de intelectuales bohemios y críticos, alrededor de tertulias informales llenas de creatividad, talento y humor. "El Tuerto" López (arriba, a la izquierda, acostado) fue el bardo más conspicuo de aquella generación de 1900. En 1908, el general y presidente de Colombia, Rafael Reyes, visitó la costa norte y se detuvo en Cartagena para comprometer su apoyo al desarrollo industrial y comercial de la ciudad.

In 1905 Cartagena had a population of 9,681, business was very local and public investment was focused basically on upgrading port facilities. Román Drugstore was one of the first businesses catering to both the local and regional markets. As the City changed, the former Rebellín wooden bridge, linking Getsemaní's Media Luna (Half Moon) Bulwark to San Lázaro Bulwark across San Felipe Fortress, was replaced by Heredia Bridge. A group of bohemian and critical intellectuals surfaced around informal café gatherings full of creativity, talent and humor. "One Eyed" López (above, to the left, lying down) was the most conspicuous bard of that 1900 generation. In 1908, Rafael Reyes, a general and President of the Republic, visited the Atlantic North Coast, stopped at Cartagena and committed his support to the City's business and industrial development.

La presencia de los inmigrantes sirio-libaneses y palestinos se hizo cada vez más notoria en el comercio y en la vida social de la ciudad (arriba). El Palacio de la Gobernación, llamado castillo por sus primitivos dueños, fue remodelado por don Luis Jaspe, que le dio su actual fisonomía (abajo).

The impact of Syrian, Lebanese and Palestinian immigrants on the City's business and social life was ever more noticeable (above). The Government Palace, called castle *by its original owners, was remodeled by don Luis Jaspe, giving it its current appearance (below).*

El Ingenio Central Colombia fue una de las empresas más ambiciosas impulsadas por los hermanos Vélez Daníes. Estaba situado en las cercanías de la población de Sincerín. Producía 12.000 toneladas de azúcar en el año. Con ocasión del centenario, la ciudad se transformó. Apareció el circo de toros de La Serrezuela, construido por iniciativa privada.

The Colombia Central Sugar Mill was one of the most ambitious Vélez Daníes brothers endeavors. It was near the town of Sincerín. It produced 12,000 tons of sugar per year. The City changed during its centennial. The Serrezuela Bull Ring was built by private capital.

Los excedentes del comercio, sumados a los de la ganadería que se desarrollaba en las provincias bolivarenses —incluían los actuales departamentos de Sucre y Córdoba— estimularon la iniciativa industrial. El mejor y más amplio puerto de Colombia fue el motor del despegue económico de La Heroica. El gobierno de Rafael Reyes (foto inferior derecha, Reyes en Cartagena 1908) consciente de la necesidad del comercio internacional de contar con nuevos puertos sobre el Caribe, procuró crear las condiciones para atraer la inversión del capital estadounidense. Reyes representó el espíritu pragmático del hombre de negocios, y por eso facilitó la iniciativa privada en el campo económico.

Business successes, added to cattle raising achievements along the Bolivarian provinces —which included today's Sucre and Córdoba Departments— encouraged industry. Colombia's best and bigger port was the Heroic's business take-off basis. The Rafael Reyes Administration (lower right, Reyes in Cartagena, 1908), aware that foreign trade required other Caribbean ports, strived to create conditions for foreign investments. Reyes embodied the business person's practical outlook, streamlining private initiatives in business.

En 1922, Pedro Nel Ospina fue elegido para presidente de Colombia. Pertenecía a la elite empresarial antioqueña. En esa misma época, gracias a la indemnización pagada por Estados Unidos a Colombia por la segregación de Panamá, se inició el período llamado "La danza de los millones". El gobierno contrató la Misión Kemmerer para organizar la banca y el manejo fiscal. Se realizaron importantes inversiones en obras públicas. El Canal del Dique recibió atención y se convirtió en una alternativa para la vinculación de La Heroica con el mercado interno. Los Lemaitre (arriba a la izquierda, Gustavo Lemaitre y familiares) fabricaban jabones con materias primas extranjeras y los Mogollón importaban papel para la industria editorial. Las playas de El Laguito aún no se habían urbanizado.

In 1922 Pedro Nel Ospina was elected president of Colombia. During that time, thanks to the compensation paid by the United States of America for the loss of Panamá, the period known as the "dance of millions." began. The government hired the Kemmerer Mission to set-up the banking system and the tax administration. The Dike Canal was heeded, later becoming an alternate link for The Heroic with the hinterland markets. The Lemaitres (above left, Gustavo Lemaitre and sons) manufactured soaps with raw materials from abroad and the Mogollóns imported paper for the printing industry. The El Laguito beaches were not yet developed.

Conforme avanzaba el siglo XX, Cartagena recuperaba su importancia como puerto sobre el Caribe. Algunas personalidades hicieron de la ciudad un paso obligado en sus recorridos por las Antillas. El príncipe Luis de Baviera (arriba a la izquierda) Charles Lindbergh (sentado segundo de izquierda a derecha), así como artistas y miembros de las familias reales europeas y políticos, fueron los "huéspedes ilustres" de la ciudad. Cartagena contaba ya con el Teatro Heredia donde se realizaban certámenes como los "Juegos Florales", antecedentes del Concurso Nacional de Belleza. El recién constituido Banco de la República no tenía aún su actual edificio, que fue construido en 1923.

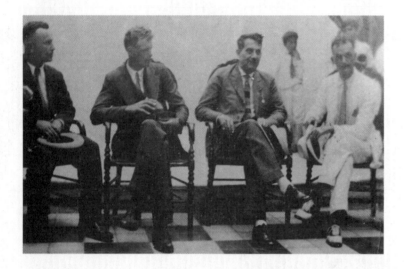

As the XX Century progressed, Cartagena recouped its leadership as a Caribbean port. Some personalities made it a calling port during their Antillean trips. Prince Louis of Bavaria (above, to the left), Charles Lindbergh (seated second from left to right), as well as artists and European royal family members and politicians, were Cartagena "illustrious guests". Cartagena already boasted the Heredia Theater where contests such as the "Floral Games", forerunner of the National Beauty Queen Contest, were held. The recently organized Banco de la República (central bank) still did not have its current building. It was concluded in 1923.

During the 1930's , Manga consolidated its development (below), and a new social elite emerged from modern progress. The development of Bocagrande began and its beaches begun to be the favorite recreational area for Cartagena's youngsters. Thanks to links with the outside world, clothing styles and cosmopolitan mores took hold.

En la década de 1930, Manga consolidó su proceso de urbanización (abajo) y apareció una nueva elite social vinculada al desarrollo moderno. Se inició la urbanización de Bocagrande, y sus playas empezaron a ser el lugar de recreo favorito de la juventud cartagenera. Gracias al contacto con el mundo, la moda y el estilo de vida cosmopolita comenzaron a ser una característica de Cartagena

Durante la primera mitad de la década de 1930, Cartagena afrontó una crisis generada por la caída de la Bolsa de Nueva York. No obstante, los servicios de acueducto y electricidad se expandieron. La ciudad empezó a definir un carácter urbano afrancesado, reflejado en el Puente Román, que unía el arrabal de Getsemaní con la isla de Manga (abajo).

During the first half of the 1930's Cartagena faced a crisis arising from the New York Stock Exchange collapse. Nevertheless, power and water service expanded. The City began to mold a Frenchlike character, reflected by Román Bridge, linking Getsemaní suburb with Manga Island (below).

El presidente de Estados Unidos, Franklin Delano Roosveelt, acompañado de su hijo, visitó Cartagena (arriba). Se daba inicio a la política del "Buen Vecino", mediante la cual los países latinoamericanos colaboraban con las políticas continentales propuestas por los estadounidenses. Enrique Olaya fue elegido presidente de Colombia (1930 - 1934), sus medidas ortodoxas para superar la crisis hicieron más difícil la situación para la economía cartagenera (arriba a la izquierda).

Franklin Delano Roosevelt, President of the United States of America, visited Cartagena with his son (above). The "Good Neighbor" policy, through which Latin American nations supported continental policies proposed by the United States, was beginning. Enrique Olaya was elected President of Colombia (1930-1934), his orthodox measures to address the crises worsened Cartagena's business climate (above left)

Debido a la parálisis del comercio internacional a causa de la Segunda Guerra Mundial, la industria cartagenera experimentó un crecimiento orientado al mercado nacional. Aparecieron suntuosas residencias en la isla de Bocagrande (abajo). En La Matuna (arriba) aún no se daba inicio al proceso de urbanización, y el eje continuaba siendo la Estación del Ferrocarril.

Due to total foreign trade suspension during World War II, Caratagena's industrial growth focused on the national markets. Sumptuous homes surfaced on Bocagrande Island (below). La Matuna (above) had not begun its development. The City's axis continued to be the Railroad Station.

Durante los años cuarenta, el ritmo de vida de los cartageneros empezó a cambiar. Muchos oficios y antiguas actividades desaparecieron. La radio, la prensa, el tiempo libre, el estudio, la bohemia, etc., hicieron parte de la identidad de la nueva generación. "La Cotorra" era un radioperiódico que se transmitía en las horas vespertinas, y con un particular estilo humorístico criticaba y comentaba todas las situaciones de interés general.

During the 1940's the life pace of Cartagenean's began to change. Many of the former jobs and activities disappeared. Radio, press, free time, studies, bohemia... they all became the new generation's badge. "La Cotorra" ("The Cockatoo") was an afternoon radio show. With its particular humor style it criticized and commented on all general interest issues.

Página anterior, panorámica de Bocagrande a comienzo de los años 40, en primer plano el hotel Caribe. Durante la década de 1950 se terminaron las obras del Canal del Dique y se pavimentaron las carreteras Troncal de Occidente y Cordialidad. Se abrieron las puertas a inversionistas. Se consolidó el tránsito de la plaza fuerte a la ciudad moderna. El presidente Urdaneta visitó la ciudad a comienzos de los años cincuenta (foto superior).

El béisbol se consolidó como el deporte local (beisbolistas acompañados por la señorita Bolívar Rosario Castillo Valiente y Sonia Lemaitre Donner), y la nueva generación de artistas e intelectuales cartageneros se puso a la vanguardia de la producción cultural del país (abajo, Alejandro Obregón).

Panoramic view of today's Bocagrande District in the early 40's, when the Caribe Hotel was already built. During the 1950's the Dike Canal was concluded and the Western Trunk and Cordiality highways were paved. Doors were opened for investors. Traffic was organized from the City's downtown. President Urdaneta visited the City during the early 50's (top). Baseball became the local sport (baseball players next to Miss Bolívar Rosario Castillo Valiente and Sonia Lemaitre Donner), and the new generation of Cartagenean intellectuals were at the vanguard of the country's cultural scene (below, Alejandro Obregón).

En el año de 1985 Cartagena fue declarada Patrimonio Cultural de la Humanidad (arriba). De izquierda a derecha, Rodolfo Segovia, Augusto Ramírez Ocampo y el alcalde Hans Gerdts. Ese mismo año François Mitterrand visitó la ciudad; y en 1986 el papa Juan Pablo II se detuvo en Cartagena, en su gira por América Latina.

In 1985 Cartagena was declared World Cultural Heritage Monument. From left to right, Rodolfo Segovia, Augusto Ramírez Ocampo and Hans Gerdts, City Mayor. That same year François Mitterrand visited the City; and in 1986 Pope John Paul II stopped at Cartagena during his Latin American tour.

CARTAGENA HOY

La Alcaldía de Cartagena, sobre la Plaza de la Aduana, es la sede del Gobierno Municipal (página anterior).

En 1631 cuando se concluyó el encerramiento de "Calamari" , hoy ciudad amurallada, se construyó la primera puerta que comunicaba con el barrio Getsemaní por medio de un puente y que le dio a este sector el nombre de Boca del Puente. En 1701 surgieron las tres bóvedas actuales y en 1888 por obra de don Luis Jaspe se construyó la Torre del Reloj que desde entonces marca la hora de los cartageneros y se ha convertido en el símbolo de la ciudad (arriba).

Cartagena's City Hall, along Customs Plaza, is the Municipal's Government seat. When the "Calamari" enclosure,
walled city today, was concluded during 1631, the first gate was built linking the Getsemaní Quarter via a bridge, giving this area its Boca del Puente name.
The three current vaults surfaced in 1701 and in 1888, and thanks to don Luis Jaspe, the Clock Tower was built. Since then
it has kept time for Cartagena folk and has become the city's landmark (above).

No existe canción ni poema que alcance a describir lo que es un paseo en coche por las calles de la Cartagena antigua o bordeando su bahía. Es también la mejor forma de apreciar el paso del tiempo a través de sus múltiples estilos arquitectónicos.

No song or poem is able to describe what a horse drawn carriage ride is along Old Cartagena's streets or along its bay. It is the best way to appreciate time's passage through its many architectural expressions.

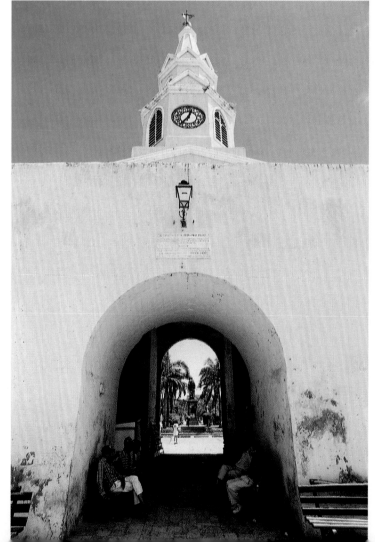

La Plaza de los Coches, dentro del sector amurallado, muestra su nueva, o más bien, su vieja cara al recobrar los adoquines que originalmente la cubrieron.

Coach Plaza, within the walled area, shows its new, or rather, former look with the restoration of its original paving stone.

Todo visitante de Cartagena debe ir al Portal de los Dulces en la Plaza de los Coches a comerse un "bola de tamarindo", una "panelita de ajonjolí" o un "cubanito", y mezclarse con las vendedoras de lotería, los emboladores y vendedores de periódico, que hacen de este lugar uno de los más auténticos de la ciudad. Sobre sus arcadas cuelgan desde los balcones las buganvillas que permanecen florecidas todo el año.

All visitor to Cartagena must go to the Sweets Portal, along Coach Plaza, to enjoy a "bola de tamarindo", a "panelita de ajonjolí" or a "cubanito", and mix with the lottery hawkers, the shoeshine boys and the newspaper vendors. They all make this one of the city's most authentic spots. Year-round yellow flowered bougainvilleas gracefully hang from the balconies on top its arcades.

Detrás de la Plaza de la
Aduana, la Iglesia de
San Pedro Claver
atestigua la importante
presencia de la
Compañía de Jesús en
el período colonial.
Construida a finales del
siglo XVIII conjuga una
mezcla de estilos
destacándose el
barroco en su fachada.

Behind Customs Plaza,
Saint Pedro Claver
church is a testimony to
the presence of the
Company of Jesus. Guilt
at the end of the XVIII
Century, it bodies a mix
of styles. Its facade
Baroque stands up.

Ubicada en el céntrico sector amurallado, **Joyería Mora** guarda una tradición de orfebres. Desde hacc 50 años ofrece a propios y visitantes la más alta calidad en los trabajos de oro y esmeraldas.

Located within the walled quarter, Joyería Mora (Mora Jewelry Shop) features rich jewelry traditions. For 50 years it has furnished high quality gold and emerald work to locals and visitors.

La Gobernación del Departamento de Bolívar, situada en la Plaza de la Proclamación, era la antigua Casa del Cabildo. Los balcones pertenecen a la casa que una vez fuera la Alcaldía (arriba).
A la derecha, detalle del Palacio de la Inquisición cuya construcción finalizó en 1770. Dentro, el museo da idea exacta de lo que fue la dramática época de la Inquisición en la ciudad. Esta institución, más temida y odiada que respetada, fue organismo de gran influencia en su vida social, política, cultural y religiosa.

The Government of Bolívar Department, along Proclamation Plaza, was the former Town Hall. Its balconies once belonged to the Mayoralty's house (above). Right, a Palace of the Inquisition detail. Its construction was concluded in 1770. Inside, it faithfully conveys this dramatic era in the City's history. The institution, more feared and hated than respected, greatly influenced its social, political, cultural and religious life.

La portada del Palacio de la Inquisición, frente a la Plaza de Bolívar, de estilo barroco, fue construida por el arquitecto español Pedro de Ribera.

The baroque Palace of the Inquisition portal, across from Bolívar Square, was built by the Spanish architect Pedro de Ribera.

La edificación de estilo republicano donde funciona el Banco de la República fue construida en 1923, en una de las esquinas de la concurrida Plaza de Bolívar. Cualquier esquina, a cualquier hora, es buena para una tranquila partida de ajedrez (izquierda).

The republican style building housing the Banco de la República was built in 1923, along one of Bolívar Plaza's busy corners. Anytime, is great for a quiet chess match (left).

En 1994, la **Fundación Mapfre** terminó de restaurar este inmueble que constituye uno de los más bellos patrimonios arquitectónicos de Cartagena, y lo abrió al turismo local y nacional. Esta mansión fue Tesorería de la Corona en tiempos de la Colonia, y en la República, la Casa Nieto. Hoy es una de las pocas propiedades privadas a las que tiene acceso el público.

In 1994 the Mapfre Foundation finished this building's restoration. It is perhaps one of Cartagena's most beautiful architectural monuments open to local and nationwide visitors. The mansion was the Crown Treasury during Colonial times and The Casa Nieto during the Republican era. Currently it is one of the few private properties available for viewing.

Exterior e interior del Museo Naval creado en 1986 en las restauradas ruinas del que fuera el Colegio de los Jesuitas.

Exterior of the Naval Museum, opened in 1986 on what was the Jesuit School.

La Cámara de Comercio de Cartagena además de cumplir con sus funciones legales, ha venido desplegando una gran labor de promotora del desarrollo económico y social de la ciudad y el departamento de Bolívar.

In addition to its legal duties, the Cartagena Chamber of Commerce has pursued important promotional work on behalf of Bolívar Department's business and social development.

Dedicada a una santa poco conocida en la región, Santa Catalina de Alejandría, la Catedral de Cartagena apareció, como en otras ciudades de la Nueva Granada, en una versión primitiva casi simultáneamente con los primeros asentamientos de la ciudad. La primera catedral no fue más que una modesta capilla de madera que se quemó en 1552. La actual estructura fue construida en 1575 pero su existencia ha sido bastante accidentada sufriendo cañonazos durante los múltiples asedios a la ciudad y derrumbes como consecuencia de defectos de construcción. La torre y la fachada actuales fueron remodeladas a comienzos del presente siglo y no guardan similitud con su estilo original.

Dedicated to a little known area saint, Santa Catalina de Alejandría, the Cartagena Cathedral sprung, as in other New Granada cities, under a primitive version almost simultaneously with the first city settlements. The first cathedral was modest wooden chapel burnt down in 1552. The current structure was built in 1575. It has had an uneven existence, bombarded during the city's many sieges and collapsing on and off from faulty construction. The current tower and façade were rebuilt at the beginning of this century, holding no likeness to its original style.

Nave central de la Catedral (página anterior). Los nuevos colores del "Corralito de Piedra" resplandecen cuando llega el crepúsculo.

Central nave of the Cathedral (preceding page). The "Corralito de Piedra's" new colors glitter at sundown.

Muchas dependencias del municipio y del departamento han trasladado sus oficinas a casas restauradas en el centro de la ciudad. La Secretaría de Educación del departamento atiende ahora en esta casa de la Calle del Sargento Mayor.

Many municipal and department agencies have moved their offices into the City downtown's restored houses. The Department of Education Secretariat is now in this Sergeant Mayor Street's house.

La teja española, utilizada en los techos de las construcciones coloniales, se conserva intacta en algunas edificaciones.

The Spanish roof tile, used on colonial constructions, is preserved almost intact in some of the houses.

73

La rehabilitación arquitectónica y urbanística del centro histórico de Cartagena exige un nivel muy especializado en las técnicas de construcción y una comprensión global de la lógica funcional de los edificios coloniales. La firma **Arquitectos Asociados**, de Alvaro Barrera y Gloria Patricia Martínez, ha restaurado, además de numerosas casas en los barrios San Diego, La Catedral y Santo Domingo, edificaciones como el Hotel Santa Teresa y el Museo Naval del Caribe.

Cartagena's historical, architectural and urban restoration requires command of highly specialized construction techniques and a complete understanding of Colonial building functional uses. Architects Associates, in addition to restoring many houses in the San Diego, Cathedral and Santo Domingo neighborhoods, also restored the delightful Santa Teresa Hotel and the Caribbean Naval Museum.

Durante los años ochenta renació el interés por la recuperación de las casas del centro amurallado. Las antiguas residencias de cartageneros, muchas en ruinas, fueron adquiridas por personas de diferentes partes del país y del exterior quienes le encomendaron su restauración a expertos arquitectos. Alvaro Barrera y Gloria Patricia Martínez han realizado algunas de ellas. La gran mayoría permanecen desocupadas y son habitadas por sus propietarios en temporadas de vacaciones.

The colonial homes were abandoned and with time deteriorated for lack of proper maintenance. It was only during the 1980's that a restoration drive surfaced, although not from Cartageneans. The old homes, many in ruins, were purchased by people from other parts of the country and from abroad who commissioned their restoration to architectural experts. Alvaro Barrera and Gloria Patricia Martínez have restored some of them. Most are only occupied by their owners during vacation seasons.

El Edificio Piñeres, construido en 1923
en la esquina de las Calles de Baloco y
Santo Domingo, es una muestra de la
riqueza arquitectónica que ha
caracterizado a Cartagena. El Banco de
la República ha tomado por su cuenta
el funcionamiento y el mantenimiento
de la Biblioteca Bartolomé Calvo,
recientemente restaurada para uso de
investigadores, estudiantes y
aficionados a la lectura que diariamente
colman sus salones (a la derecha).

*Piñeres Building, built in 1923 at
the corner of Baloco and Santo
Domingo streets, is an example of the
architectural wealth which has
distinguished Cartagena (above).
The Banco de la República has
undertaken the operation and
maintenance of Bartolomé Calvo
Library, recently restored for research,
students and reading fans, who
overflow it every day (right).*

El antiguo Convento de Santa Teresa, que por muchos años sirviera como cuartel
de la Policía Nacional, fue espectacularmente restaurado en 1996 y convertido en hotel de lujo.

Former Santa Teresa Convent. For many years it served as the National Police headquarters. It was spectacularly restored in 1996 and turned into a deluxe hotel.

La Orden de los Dominicos también dejó importante huella en la arquitectura religiosa de Cartagena.
La iglesia y el convento de Santo Domingo, sobre la plaza del mismo nombre, son el mejor ejemplo. En la iglesia se encuentra
la estatua, tallada en madera, del Cristo de los Milagros.

The Dominican Order also left important footprints in Cartagena's religious architecture.
The Santo Domingo Church and Convent, along Santo Domingo Plaza, are good examples. Inside this church is the wood carved Christ of the Miracles.

Estos balcones de estilo republicano contrastan con los balcones coloniales de barrotes de madera que predominan sobre las calles del centro amurallado.

These republican style balconies contrast with the wood pegged colonial ones dominating over the walled quarter's streets.

Casa del Marqués de Valdehoyos, en la Calle de la Factoría, hoy de propiedad del Estado (izquierda).
Semanalmente los vecinos de la Plaza de Bolívar se congregan a escuchar la retreta de la banda municipal.

The Marquis of Valdehoyos House, along Factoria Street, is now owned by the government (letf).
Every week neighbors of Bolívar Square gather to listen to a "retreta" given by the Municipal Band.

La mayor riqueza arquitectónica de las casas coloniales de Cartagena es la del número de ventanas y balcones. Los artesanos, quienes inicialmente trabajaron el hierro forjado siguiendo los estilos de Cádiz, Jerez o Sevilla en España, tuvieron que abandonar Cartagena y buscar trabajo en Mompox donde no existía el clima salino de esta, que oxidaba muy rápidamente el trabajo en hierro. En Cartagena se quedaron los carpinteros que dejaron verdaderas obras de arte en madera. La Plaza de Fernández Madrid, en el barrio de San Diego, fue llamada Plaza de los Jagüeyes por la presencia de varios aljibes que le dieron su nombre original. Estaba rodeada de modestas casas que hoy han sido restauradas.

The greatest architectural wealth of Cartagena's colonial homes is their number of windows and balconies. The craftsmen, who initially worked forged iron following the styles from Cádiz, Jerez or Sevilla in Spain, had to abandon Cartagena and look for work at Mompox, where salt was not in the climate to quickly rust iron. The carpenters stayed on in Cartagena leaving true works of art. Fernández Madrid Square, in the San Diego neighborhood, was called the Plaza de los Jagüeyes (Large Pool Square) for the many wells around. It was surrounded by modest homes which today have been exquisitely restored.

El Teatro Municipal, hoy Heredia, en la Plaza de la Merced, fue construido en 1905, siendo gobernador don Henrique Luis Román, quien quiso que la ciudad tuviera un teatro que permitiese presentar los grandes artistas y grupos escénicos que de paso para Bogotá arribaban al puerto de Cartagena. De esta manera los cartageneros pudieron disfrutar de una magnífica vida cultural con artistas de la talla de Tita Ruffo y María Guerrero. El Teatro ha sido objeto de una completa restauración (izquierda).

Vecino al Teatro Heredia, sobre la misma Plaza de la Merced, el Palacio de Justicia, originalmente de estilo colonial del siglo XVII, fue reconstruido en 1925 como republicano. Desde hace quince años funciona allí la Universidad Jorge Tadeo Lozano (arriba).

The Municipal Theater, today named Heredia Theater , along Mercy Square, was built during 1905 by the then governor don Henrique Román who wished the city to enjoy a theater able to feature great artists and stage groups arriving at Cartagena's port on their way to Bogotá. Cartageneans were able to delight with artists as famous as Tita Ruffo and María Guerrero (left). Next to Heredia Theater along the same Mercy Square, the Justice Palace, originally in colonial XVII Century style, it was reconstructed in 1925 in republican style. The Jorge Tadeo Lozano University has been there for fifteen years (above).

93

La Torre de la Universidad de Cartagena, la cual funciona en el antiguo claustro de San Agustín de estilo colonial, restaurado en los años veinte y destinado desde entonces para este centro educacional.

Cartagena University Tower. The University is at the former colonial styled San Agustín Cloister, restored during the 1920's and destined since then for educational purposes.

Con la construcción de la Arquería de las Bóvedas se concluyó en 1798 el cerramiento del recinto amurallado.
Estas sirvieron para albergar las tropas y almacenar pertrechos, pues eran a prueba de bombas. Hoy, las 24 bóvedas están ocupadas por almacenes
de artesanía de todas las regiones del país y son de visita obligada de los turistas.

*The construction of the Vault Archs completed the enclosure of the walled quarter. These served to house soldiers
and store provisions because they were bombproof. Currently the 24 vaults are occupied by shops with countrywide craftsmanship and are an obligated stop for all visitors.*

La Plaza de San Diego (derecha, abajo) fue siempre el lugar de reunión de los residentes de ese barrio.
Hoy ha cobrado vida con la restauración de las casas que la rodean. Con el florecimiento del centro de Cartagena, un sinnúmero
de anticuarios (derecha arriba)se han instalado en ella, y se ha creado así un nuevo atractivo.

San Diego Plaza (below) was always the rendezvous for area neighbors.

An unending number of antique shops (above)have opened flowing the flourishing of Cartagena's Old Quarter, thus creating a new attraction.

Al recobrar el recinto amurallado su esplendor, en los últimos diez años se creó una demanda para albergar allí un turismo que prefiere disfrutar del sabor de los tiempos idos. Esto ocasionó la proliferación de hostales en las viejas casonas, que fueron acondicionadas para tal fin, y luego de lujosos hoteles en antiguos conventos hoy manejados por reconocidas cadenas internacionales.

The newly recovered walled quarter splendor has created, for the past ten years, a tourism seeking the flavor of bygone times. This encouraged the proliferation of hostels within the old homes, and later of deluxe hotels in former convents managed by important international chains.

El **Hotel Santa Clara** es un lugar lleno de historia y auténtica tradición, ubicado en el casco antiguo. Ciento ochenta lujosas habitaciones distribuidas en tres ambientes: colonial, republicano y bóvedas, tres restaurantes, bar, salones, *spa*, piscina, trece *bungalows* en la playa privada de la Isla San Pedro de Majagua (Islas del Rosario).

The Santa Clara Hotel is history and tradition laden, is located on an old city quarter address. It features 180 guest rooms under three ambiences: Colonial, Republican Period and vault style; it features three restaurants, bar, salons, spa, pool and thirteen bungalows at its San Pedro de Majagua (Rosario Islands) private beach.

Desde el segundo semestre de 1996 se fundó el **Convention Bureau Cartagena de Indias** con políticas claras para la realización de convenciones, las cuales se han traducido en el aumento de este turismo específico. El 1o. de agosto de 1997 se fusionaron las entidades Convention Bureau y Fondo Mixto de Promoción Turística para convertirse en la organización Cartagena de Indias Convention and Visitors Bureau, con la misión de proveer de recursos, información, conocimientos, tecnología, orientación y apoyo al sector turístico para fortalecer la ciudad como destino de congresos, convenciones, seminarios, cruceros y vacaciones a escala nacional e internacional. Se trata de una asociación privada, sin ánimo de lucro, que surgió al amparo de la Ley de Turismo de 1996. Tiene como afiliados los más importantes hoteles, aerolíneas, agencias de viajes y compañías de turismo.

Ahora Cartagena de Indias está representada por el CICAVB en el mercado potencial de las convenciones y turismo de vacaciones tanto en el país como en el extranjero, en una eficiente competencia con otras ciudades, lo cual le otorga además a La Heroica una mejor imagen y una mayor solidez como destino turístico. Con el CICAVB, Cartagena de Indias se puso a la altura de otras ciudades del mundo que tienen bureaus similares, como Miami, México, Panamá, Cancún, Vancouver, São Paulo, Houston y Atlanta.

The Cartagena de Indias Convention Bureau opened during the second half of 1996 under clear convention industry goals which currently have generated significant increases in this business. On August 1, 1997 the Convention Bureau and the Tourist Promotion Mixed Fund merged into the Cartagena de Indias Convention and Visitors Bureau to furnish resources, information, knowledge, technology, guidelines and support to the tourist industry in order to promote the City as a congress, convention, seminar, cruise and vacation national and international destination.

It is a private, nonprofit organization, under the charter of the 1996 Tourism Bill. Its affiliate members are the most important hotels, airlines, travel agencies and tourism related companies.

Cartagena de Indias is now represented by CICAVB vis-à-vis the potential local and world convention and recreational tourist industries in an orderly competitive fashion with other cities, giving the Heroic City a better image and reputation as a tourist destination.

CICAVB has placed Cartagena de Indias at par with other world cities having similar bureaus, such as Miami, México, Panamá, Cancún, Vancouver, Sao Paulo, Houston and Atlanta.

El maestro Héctor Lombana elaboró estos imponentes Pegasos que adornan el tradicional Muelle de los Pegasos, donde un día desembarcaron los esclavos que venían del Africa.

Master Héctor Lombana created these imposing Pegasus adorning the traditional Pegasus Warf, where slaves from Africa once arrived.

107

La Iglesia de la Tercera Orden, construida en 1628 en los "suburbios" del barrio de Getsemaní, es hoy la iglesia de la Armada Nacional y lugar escogido para celebrar las bodas de sus oficiales.

The Third Order Church was built in 1628 along the "suburbs" of Getsemaní neighborhood.
Currently it is the Navy's church and place of choice for officer weddings.

Desde su inauguración en marzo de 1982, el **Centro de Convenciones y Exposiciones** Cartagena de Indias se convirtió en un símbolo de la ciudad. Por su infraestructura y tecnología, es uno de los mejores de Latinoamérica. Está enriquecido con cuatro grandes obras de arte de Salvador Arango, Alejandro Obregón, Enrique Grau y Augusto Rivera. Ha sido escenario de resonantes reuniones mundiales.

Since its March 1982 opening, the Cartagena Exposition and Convention Center has become a City landmark. Its infrastructure and technological facilities makes it one of the best in Latin America. It is enhanced by four works-of-art by Salvador Arango, Alejandro Obregón, Enrique Grau and Augusto Rivera. It has hosted important world meetings.

La Sociedad Aguas de Cartagena S.A., empresa mixta de servicios públicos domiciliarios, se ha convertido en el primer modelo empresarial de co-participación pública-privada del país, contemplado en la Ley 42. Su socio operador, Aguas de Barcelona, con 46 por ciento de capital accionario y experiencia de más de un siglo, maneja unos 600 acueductos en más de setenta localidades de Europa y América Latina. El socio mayoritario es el Distrito de Cartagena con el 50 por ciento, y el restante 4 por ciento pertenece a accionistas locales.

Pursuant to Law 42, Aguas de Cartagena S.A., a mixed public utility firm, has become the Country's foremost government-private co-participation benchmark. Aguas de Barcelona, its working partner having 46 percent of its capital stock and in excess of one hundred years experience, handles some 600 facilities in some 70 locations throughout Europe and Latin America. Its majority shareholder is the District of Cartagena with 50 percent of capital stock. Local investors hold the remaining 4 percent.

La Lotería de Bolívar, creada por la Asamblea del Estado soberano de Bolívar en 1883, es "la más antigua y acreditada del país". Cuenta con más de setenta distribuidores en todo el territorio nacional. Además de llevar la fortuna a muchas personas y de contribuir con importantes aportes a la salud, la venta de la Lotería de Bolívar es una oportunidad de trabajo para más de 6.000 colombianos.

Founded by the Bolívar Sovereign State's Legislation in 1883, Lotería de Bolívar is the "oldest accredited lottery in the country". It has over 70 distributors nationwide. In addition to fortunes awarded to lucky winners and charity contributions to health work, it provides jobs for a 6,000 Colombians.

En el Parque del Centenario, inaugurado en 1911 para conmemorar el centenario de la independencia de Cartagena como monumento a los próceres caídos en la revuelta, siguen jugando los niños cartageneros.

Cartagena children still play at Centennial Park, opened in 1911 as a monument to honor the centenary of Cartagena's independence and its fallen heroes.

La vida social de la ciudad giraba alrededor de este edificio de estilo republicano, sede del Club Cartagena, hasta su traslado al barrio de Bocagrande a comienzos de los años sesenta. Típica *palenquera*, vendedora de frutas.

Social life in the city moved around this republican building where the Cartagena Club operated until it moved to Bocagrande in the early sixties. Typical palenquera, *fruit vendor.*

En las inmediaciones del Centro de Convenciones Cartagena de Indias, frente al Paseo de los Mártires, existen seis salas de cine. El barrio de Getsemaní, fuera del recinto amurallado, ha comenzado su proceso de restauración, y ya se pueden apreciar joyas desconocidas por muchos años, como la Iglesia de San Roque, en la Calle del Espíritu Santo. La herencia cultural afro-americana hace parte de la identidad popular de Cartagena. Esta se refleja en la música, la gastronomía y el carácter alegre de su gente.

Six movie houses surround the Cartagena de Indias Convention Center, across from Martyrs walk. The Getsemaní neighborhood, lying outside the walled quarter, has initiated its restoration. Many architectural jewels, unknown for many years, already may be appreciated. These include San Roque Church, along Holy Spirit Street. The Afro-American cultural legacy is part of Cartagena's popular identity. It is reflected in its music, gastronomy and the happy personality of its folks.

A principios del siglo XVII, obedeciendo un "llamado divino", el padre agustiniano Alonso de la Cruz Paredes fundó un monasterio en la cima del Cerro de la Popa, con una espectacular vista de la ciudad y todos sus cuerpos de agua. El convento fue restaurado, y en su capilla permanece la estatua de la milagrosa Virgen de la Candelaria. El día 2 de febrero de cada año, cuando se celebra la fiesta de la Virgen de la Candelaria, ésta es bajada en hombros hasta el pie de la cima, para presidir una multitudinaria procesión de sus devotos.

During the early part of the XVII Century, pursuant to a "divine calling", the Augustine priest, Alonso de la Cruz Paredes, founded a monastery on La Popa Hill's peak with a spectacular view of the city and its water bodies. The convent was restored and a statuette of the miraculous Our Lady of La Candelaria is kept in its chapel. Every February 2, when Our Lady of La Candelaria's feast is celebrated, the statuette is lowered to the foot of the hill and placed at the head of a procession of the faithful.

El Universal es el diario de Cartagena. Un diario en permanente crecimiento, que circula principalmente en los departamentos de Bolívar, Córdoba y Sucre y que se ha comprometido con el desarrollo y bienestar de la comunidad. Diariamente, sin ahorrar esfuerzos tecnológicos ni humanos, cumple a cabalidad la misión de informar con claridad y exactitud, defender los intereses de la región y contribuir a la educación ciudadana. Es un diario abierto a la constante innovación tecnológica y a las cambiantes formas de entregar información completa, útil, objetiva y exacta. *El Universal* está indisolublemente ligado a la vida y el desarrollo de Cartagena.

El Universal *is Cartagena's daily. Its growth is continuous, mainly circulating in the Bolívar, Córdoba and Sucre departments. It is committed to the community's development and well-being. Without sparing human or technological efforts it fully strives to achieve its mission of providing the news clearly and faithfully, standing for the area's interests and contributing to community education. It is a newspaper opened to innovations and to changing ways for delivering total, useful, objective and exact news.* El Universal *is indissolubly bound to Cartagena's life and progress.*

El poema *A mis zapatos viejos*, del cartagenero Luis Carlos "el Tuerto" López, inspiró al artista Tito Lambraño para realizar esta escultura (a la derecha). Cuando don Pedro de Heredia, fundador de la ciudad, llegó al entonces caserío de Calamarí trajo consigo como traductora a una nativa a quien la leyenda le dio el nombre de India Catalina. Una estatua en su honor permanece erguida al lado del Puente de Chambacú (abajo).

The poem My Old Shoes by Luis Carlos "One-Eyed" López inspired the artist Tito Lambraño to create this sculpture (right). When don Pedro de Heredia, the city's founder, reached the then Calamarí hamlet, he brought with him a native woman translator whom legend has named India Catalina. Her statue is next to Chabacú Bridge (below).

Castillo de San Felipe de Barajas, obra de ingeniería sin par en América cuya construcción se inició en 1657 por iniciativa de don Pedro de Zapata, gobernante de la ciudad, y concluyó en 1762 bajo la dirección del teniente general Antonio de Arévalo y Porras, el más grande ingeniero militar de España en América.

San Felipe de Barajas, unsurpassed engineering feat in the Americas. Construction began in 1657 under the city's governor, don Pedro Zapata, and concluded in 1762 under the supervision of Lieutenant General Antonio de Arévalo y Porras, the most renown Spanish military engineer.

Los bustos de don José María Campo Serrano y Miguel Antonio Caro acompañan el de Rafael Nuñez en esta rotonda del Parque Apolo del barrio El Cabrero (izquierda).

La Ermita del Cabrero o de las Mercedes y el recientemente remodelado Parque Apolo forman un conjunto armonioso al lado de la Laguna del Cabrero. Al frente, la casa donde residió Rafael Núñez, quien fuera cuatro veces Presidente de Colombia y que despachó siempre desde Cartagena. Sus restos y los de su esposa, doña Soledad Román, yacen en la Ermita.

The busts of don José María Campo Serrano and Miguel Antonio Caro accompany Rafael Núñez bust at this Apollo Park rotunda
in the El Cabrero neighborhood.. The Cabrero Hermitage and the recently remodelled Apollo Park blend into a harmonious complex next to El Cabrero Lagoon.
Across from the park is the house where Rafael Núñez, who was four times President of Colombia, and always held office in Cartagena, lived.
He and his wife, doña Soledad Román, are buried in the Hermitage.

Desde su apertura, el 29 de agosto de 1985, el restaurante cartagenero **La Langosta**, ejerció un gran atractivo sobre los ejecutivos del sector de La Matuna e intelectuales como el maestro Alejandro Obregón, quien en sus tertulias solía convertir los manteles en lienzos. Luego fue trasladado a una mansión de El Cabrero, contiguo a la casa de don Rafael Núñez. Ahí permanece, con una creciente fama por la exquisitez de la langosta y sus magníficas instalaciones para atender toda clase de reuniones sociales y empresariales.

Since its August 29, 1985 opening, this Cartagena restaurant, La Langosta, along the Matuna quarter, has been an inviting attraction for company executives and art folk, such as master Alejandro Obregón, who frequently turned tablecloths into paint canvases. It was later moved to a mansion in the El Cabrero area alongside don Rafael Núñez's home. And there it has since been, enjoying a steadily growing reputation for its exquisite lobster cuisine and its magnificent social and company catering facilities.

La influencia morisca fue muy notoria en el barrio de Manga,
y de ella quedaron unas verdaderas joyas para la posteridad.

Moorish Influence was evident at La Manga neighborhood.
Many true jewels remained for posterity.

A comienzos del presente siglo, cuando los cartageneros decidieron salirse del centro amurallado
en busca de aires más frescos y saludables, se trasladaron a la Isla de Manga, inicialmente a pasar temporadas de veraneo, y luego se instalaron
en hermosas mansiones construidas dentro de un marcado eclecticismo arquitectónico.

During the early part of this century, when Cartageneans decided to leave the walled quarter for fresher
and healthier airs, they went to Manga Island, first for vacation and later for keeps. They settled in beautiful stylist architecture homes.

Muy pocas de las mansiones de Manga
son habitadas por sus propietarios o herederos. No es ese el caso
de la casa construida por don Henrique Román a principios del siglo,
sin duda una de las más espectaculares, conservada impecablemente
por sus hijas Olga y Teresita, quienes la ocupan.

Very few La Manga mansion are currently inhabited by their original owners or heirs.
This is not the case of the house built by don Enrique Román during the early part of the century which is impeccably kept by his daughters, Olga and Teresita, who live there.

En una ciudad bañada de mar por todos sus costados, los deportes acuáticos llenan buena parte de la vida de sus habitantes y constituyen el mayor atractivo para el turismo. En el Club Náutico, en el barrio de Manga, un mascarón de proa es testigo de los muchos viajeros que atracan en sus muelles venidos de lejanos mares y atraídos por leyendas de piratas y conquistadores.

Water sports play an important part in the lives of folks living in this City bathed by the sea everywhere. Sports are a big tourist attraction.
A ship's figurehead at the Nautical Club along La Manga neighborhood, is a silent witness to the countless voyagers arriving from far and wide lured by pirate and Conquistador legends.

Ubicado en el Fuerte de San Sebastián del Pastelillo, en el barrio de Manga, frente a la bahía de Cartagena. Su tradición de más de 40 años, la dirección de un *Chef Cordon Bleu* y un equipo humano con experiencia profesional, dan la garantía indiscutible de calidad. El **Restaurante Club de Pesca** es uno de los sitios más exclusivos de la ciudad dándole a su estadía bienestar, recreación y *confort*. Cuenta con un confortable acuabús con capacidad para 16 personas donde se puede disfrutar de una original cena a bordo.

This marvelous restaurant is at the San Sebastián del Pastellillo Fort, in the La Manga neighborhood, across Cartagena Bay. Its uncontested quality is supported by a 40 year tradition, a Cordon Blue Chef and an experienced, professional staff. Club de Pesca Restaurant is one of the city's most distinguished addresses, providing your visit with exceptional recreation and comfort. It features an original 16 seat aquabus for evening dining.

La Casa de Huéspedes Ilustres levantada en el lugar donde un día existió el Fuerte de San Juan de Manzanillo, es un homenaje al último edificio construido en Cartagena por don Antonio de Arévalo. Tiene, como el Cuartel de las Bóvedas, cubiertas en roscas de ladrillo, y está frente a la bahía azul. El Gobierno la hizo construir bajo la dirección del arquitecto Rogelio Salmona, y mereció el Premio Nacional de Arquitectura 1986 y otros premios internacionales. Además de ser la casa de vacaciones de la familia presidencial sirve de albergue para los dignatarios que visitan permanentemente la ciudad. Fidel Castro, primer Mministro de Cuba; Felipe González, primer ministro de España; la infanta Cristina de España; John Major, primer ministro de Inglaterra, y Danielle Mitterrand, esposa del Presidente de Francia, son algunas de las personalidades que se han hospedado en ella.

The Illustrious Guests House, built at the former San Juan de Manzanillo Fort, is a homage to the last building constructed in Cartagena by don Antonio de Arévalo. Like the Vault Fort, it features brick spiral decks and stands across the blue bay. The government commissioned architect Rogelio Salmona with its construction, and was awarded the 1986 National Architectural Prize, in addition to other international distinctions. The house is the vacation site of the Presidential family and also serves as guest house for the many dignitaries continuously visiting the city. Fidel Castro, Cuban Prime Minister; Felipe González, Spanish Prime Minister; Infanta Cristina of Spain; John Major, British Prime Minister, and Danielle Mitterrand, French First Lady, are some of the celebrities who have stayed

LA COCINA CARTAGENERA

LÁCYDES MORENO BLANCO

Corresponde la bucólica cartagenera a la suculenta constelación gastronómica del Caribe. Otros dirían los caribes, o las Antillas, pero en todo caso es una dilatada cuenca marina en cuyo mágico ámbito, y como en una colosal y mítica caldera, se ha fundido el metal de un nuevo hombre, con expresiones culturales cada vez más definidas, delirantes emociones y un vital sentido de entender la vida.

El prodigio de esa olla caribeña radica en el sincretismo con que a la larga se formó, inspirándose en el discreto legado indígena —maíz, envueltos, color a base de achiote, ajíes, tubérculos, frutas, etc.—, en la influencia española y luego en el capricho francés, en las aficiones británicas y en la sabiduría milenaria de los chinos, hindúes, malayos y hasta de los judíos errantes. Mas la gran expresividad, desde luego, el color fuerte y el amoroso clamor de esa cocina, su excepcional tonalidad, en fin, corresponden a la gran orquestación negra.

Mas esa manifestación culinaria, que es toda una apoteosis de los sabores, al pasar a Cartagena de Indias pierde en densidad, se torna más depurada en muchas de sus tonalidades, y adquiere otro talante, si así puede decirse. Con el tiempo el picante primitivo, la fortaleza de las salsas, el cromatismo mismo se sosiegan, como si el mestizaje y el sincretismo de que he hablado quisieran encontrar otras formas para alegrar al hombre.

Su herencia cibaria, como tantas otras bondades y calamidades de la tierra, obedece sin duda a la gravitación de su agitada his-

toria social también, que es la historia de muchas luchas y confrontaciones durante el Imperio español y más tarde al formarse la República.

La cocina cartagenera tiene alma. Alma de su pueblo, de su paisaje, de sus manos querendonas. Y esa alma enciende de gracias muchas de sus plazas, esquinas y parques. Aromas de comida vuelan en las horas vespertinas para regocijo de la apetencia. Algo de eso debieron de ver don Jorge Juan y don Antonio de Ulloa, célebres navegantes españoles que permanecieron largo tiempo en Cartagena, por allá en 1735, pues con mirada escrutadora apuntaron al hablar de los jornaleros del pueblo negro "que para ello venden en las plazas todo lo comestible, y por las calles las frutas y dulces del país de todas especies, y diversos guisados o comidas, el bollo de maíz y el cazabe, que sirve de pan con que se mantienen los negros".

Parte de ese abigarrado cuadro de las costumbres cartageneras, aunque en calidad ha mermado mucho sin duda, son las legendarias mesas de frito, en cuyos anafes con brasas encendidas y en inmensos calderos con grasa —antiguamente eran con pura manteca de cerdo—, nacen minuto a minuto los dorados buñuelos de frijolitos de cabeza negra, las carimañolas que atesoran el rico picado de carne de cerdo, las empanaditas de maíz dulce, los

Los postres de frutas tropicales forman parte importante de la rica gastronomía cartagenera, y una vez en el mes son el atractivo principal del Festival del Dulce.

Tropical fruit desserts are an important part of Cartagena's gastronomy, and once a month they are the main feature at the Festival of Sweets.

140

patacones, la majestuosa empanada con huevo, en fin, entre otros diversos frutos de sartén que dirían los españoles. Y aunque esta modalidad de las frituras callejeras aún está generalizada en algunas islas del Caribe, la de Cartagena tiene un aire de singular primor y sirvió en otras edades como recurso de las comidas cotidianas en las horas de la noche. Que allí no habían de faltar también los bistecs encebollados y el café o tinto de contagioso aroma. Dulces también. Y más dulces. Pasando por el meridiano de mi infancia, recuerdo a las negras de ternísimo corazón y en la cabeza las tártaras, especie de artesas grandes con anjeo, pregonando por las calles del Corralito las melcochas, alfajores blancos, cocadas de coco, cocadas de maní, cocadas de ajonjolí, bolas de tamarindo, canelequeque, cubanitos, republicanos, yemitas de coco, doncellas, polvorosas, aviones o aeroplanos, panochas, suspiros, damas de honor, etc. En las casas solariegas había conservas de guayaba, el dulce de icaco, las conservas de mamey, el dulce de mango verde, los huevos obispales o chimbos; el dulce de coco punteado con las pasas, el dulce de plátano con piña, la jalea de coco o el plátano guisado, perfumado con los clavillos de olor y servido muchas veces en las tortas de cazabe, cuando no con una porción de queso costeño. Rezago de ese mundo de golosinas aún es posible apreciarlo en las arcadas de piedras coloniales del Portal de los Dulces, estación y tránsito de los borrachitos, riñón de la ciudad, roto avispero, que diría "el Tuerto" López, en cuyas ventas se hallan estos prodigios de delicadezas en azúcares, junto con la venta de revistas pornográficas, discos viejos, lentes ahumados y mil baratijas.

Y aunque esta cocina primitivamente tuvo el marcado acento peninsular, en este caso la de algunas regiones de España, en la decadencia de la ciudad a partir de la Independencia y la llegada inmediata de algunos franceses, italianos e ingleses, ella tuvo variantes en muchos de sus tonos y se enriqueció con nuevos platos. Tardíamente esta rica cantera del comer cartagenero se vería ensanchada también con la presencia de sirio-libaneses —peyorativamente reconocidos bajo el mote de "turcos"—, quienes comenzaron a llegar a la ciudad a partir del último lustro del siglo

Este versátil restaurante tiene dos ambientes: un patio al aire libre y un salón con aire acondicionado. **La Olla Cartagenera** está especializado en gastronomía criolla, árabe e internacional, todas deleitosas. Atiende dentro de un amplio horario que va desde el medio día hasta las once de la noche. Situado en el sector turístico de Bocagrande, Avenida San Martín.

This versatile restaurant enjoys two ambiences: and open air patio and an airconditioned salon. The Olla Cartagenera specializes in local, Arabian and international cuisine, pampering customers from noon to eleven in the evening. It is conveniently located along San Martín Avenue in the Bocagrande Quarter.

XIX y cuyos miembros, por su sentido del trabajo en el comercio y del sacrificio y sus bondades muchas veces, a la larga se integraron a la sociedad criolla. De las manos de sus mujeres habrían de salir el *tabule*, en el que se combinan el trigo, la cebolla, la yerbabuena y otras especias; el *fatte*, sápida ligazón de garbanzos con tahine y levantado en sazón con gotas de limón; arroces con lentejas o almendras; berenjena con tahine, y más populares, como si quisieran hacerle competencia a la deleitación nativa, los *quibbes*. En toda esta corriente de originales sabores no habían de faltar los delicados dulces como la *baklawa*, con sus sutiles capas de masa rellenas de nueces aderezadas con miel y agua de azahares, o las *atallef*, coquetas empanaditas ennoblecidas con jarabe de azúcar, en fin, golosinas salidas, por su sutileza, de *Las mil y una noches*. En este registro de sabores, tentaciones cocineriles y antojos, frutos de sartén y caldillos o sopones estimulantes de Cartagena, no sería justo olvidar la presencia de los chinos, gente que llegó hace algunos lustros con sus misterios en el alma, su sentido de la discreción y la cortesía, abriendo comedores con alegría y buena voluntad. Ellos, como entra en su filosofía de las adaptaciones y dado que hay muchas cocinas chinas, con el correr de los días familiarizaron el gusto de los cartageneros con los *chow meines*, arroces fritos, pastelitos de carne, *wantan* de cerdo y pollo, cerdos agridulces, carnecillas encebolladas con salsa de ostras, *chop sueys* y gallinas salsudas.

En este viaje algo sentimental por el fogón nativo, no todo lo detenido que hubiese querido hacerlo, he considerado apenas los aspectos que él tiene de vernáculo y propio, hijo de una dilatada tradición, merecedora, por lo demás —sea la oportunidad de pregonarlo—, de conservarlo, de recuperarlo como forma entrañable de su positiva cultura. La cocina de los restaurantes a la moda, la de fondas o comedores con cierta pretensión cosmopolita, es otro cantar. Allí proliferan todos los días, y sobre sus virtudes es el visitante con predilecciones a quien corresponde decir sus complacencias.

Hecha de tradición y enamoramiento, sin misterios, la cocina de Cartagena de Indias es sin duda de las más alegres y originales del Caribe.

Durante los últimos veinte años, Cartagena se ha consolidado como una de las ciudades turísticas más importantes del continente.
Su interesante historia, su privilegiada posición geográfica, sus tibias playas y su belleza urbanística la pusieron en la mira de los viajeros del mundo.
La propia ciudad entendió que tenía ese destino, y se fue preparando para satisfacerlo. En la actualidad cuenta con 28 hoteles
de todas las categorías que suman 4.493 habitaciones. El aeropuerto Rafael Núñez está en capacidad de recibir naves de todas las especificaciones,
y el muelle turístico, sobre la bahía, es punto de llegada de los cruceros de placer que surcan el Caribe. El turismo nacional, que tiene
a Cartagena marcada en sus preferencias, se ha incrementado desde que el acceso desde el interior del país se facilitó con la construcción de la carretera troncal.
Por todas sus características, Cartagena acapara también otro tipo de turismo moderno, el de convenciones y congresos. Esta vocación se hizo
más nítida a partir de 1982, cuando se inauguró el Centro de Convenciones Cartagena de Indias, cuya capacidad para albergar hasta 4.000 personas ha permitido
la celebración de cumbres continentales de presidentes y reuniones orbitales de gobernantes, políticos, empresarios y artistas.

For the past twenty years, Cartagena has become one of the continent's most outstanding tourist destinations. Its interesting history,
privileged geographical location, warm beaches and urban beauty have made it attractive to travelers. The City has understood this and has begun preparing for it.
Currently it boasts a range of 28 hotels totaling 4.493 guest rooms. Rafael Núñez Airport may service all commercial aircraft types and the tourist terminal,
along the bay, is a calling port for many cruises plying the Caribbean. Local tourism, openingly preferring Cartagena, has increased thanks to the construction of a new main highway.
For all its features, Cartagena is also favored by the convention market. This calling has been significantly supported by the construction in 1982 of the 4,000
seating capacity Cartagena de Indias Convention Center. Continental presidential summits, business, political and artistic events have successfully been held there.

EL TURISMO EN CARTAGENA

AUGUSTO DE POMBO PAREJA

Cartagena de Indias, además de ser considerada la "capital diplomática" colombiana, es también el polo turístico más atrayente del país y de toda el área caribe.

Nuestra ciudad conserva todavía el primitivo aspecto que adquirió durante más de cuatrocientos cincuenta años, cuando trabajaron en ella los más famosos ingenieros militares del Imperio español. Su planeamiento, luego de su primer trazado ortogonal o en forma de damero, fue eminentemente defensivo, para servir de caja fuerte de los tesoros aborígenes de nuestras milenarias culturas indígenas: oro, plata, platino, esmeraldas en bruto, muchos de ellos convertidos en extraordinarias figuras ejecutadas por manos artistas que hoy son mostradas a un mundo perplejo. Todos estos tesoros se reunían en Cartagena de Indias.

Entonces lo que más determina a este complejo arquitectónico histórico es el carácter defensivo de fuertes, baluartes, murallas y cortinas, su caserío urbano y aun los templos erigidos con estricto acento funcional. Algunos, más parecen torreones de defensa, como la bellísima iglesia de San Pedro Claver, que edificios dedicados al culto católico.

Por todo ello, nunca llegamos al adorno superfluo, al clima delirante de México, Quito, Lima, el Cuzco o Arequipa, que se concentró únicamente en el interior de iglesias y conventos, con algunas excepciones civiles como la portada del Palacio de la Inquisición, bello y único ejemplar barroco y en la cual, sobre espirales de su moldura frontal, hay una venera con una cruz que tiene en el fondo una inscripción que señala la fecha de su construcción: 1770.

Nuestra invariable arquitectura sigue siendo el conjunto monumental del sector antiguo, el mejor conservado y completo de la América española, donde se destacan, como anotamos, sus fortalezas y murallas, a veces sumergidas y testificadas en escolleras submarinas como las de Santo Domingo y Bocagrande, que nos recuerdan las catedrales submarinas de Debussy.

La ciudad siempre se ha resistido a perecer. De ahí su valor como testimonio histórico, lo que los urbanistas han determinado como la ley de pervivencia del plano. Así es Cartagena de Indias: llena de cicatrices y de violentas sacudidas. "Sucede un gran acontecimiento político, y el rostro de una ciudad tomará severas arrugas", decía Spengler, y así es nuestra ciudad: llena de serias arrugas.

Cartagena es la ciudad del mundo hispanoamericano que más calificativos posee. Ostenta los más variados títulos, tales como "Patrimonio Histórico de la Humanidad", otorgado por la Unesco en 1985; "Antemural del Reino", "La Llave de las Indias", "Ciudad Mejor Fortificada de América", "Ciudad Heroica", nombre puesto por nuestro Libertador Simón Bolívar. Hace poco recibió otro galardón y esta vez, de todos los arquitectos restauradores y otros estudiosos de estos temas, como historiadores y arqueólogos, agrupados en el Plan del Gran Caribe para sus Monumentos y Sitios, Carimos, que después de análisis, estudios y recomendaciones a sus gobiernos, determinaron que Cartagena de Indias es "la ciudad más caribeña" de todas.

En la historia del país, nunca ciudad alguna, además de sus indudables atractivos históricos y naturales, presenta una oferta tan variada e interesante, inclusive superior a la de muchos países del área del Caribe para atraer las grandes corrientes de turismo que se movilizan por todos los continentes.

Integración turística

En todo el mundo existen zonas con tradición y atractivos tan importantes, que con sólo pronunciar su nombre, este queda grabado en la mente del turista potencial, y se determina enseguida como una alternativa de destino turístico. Así, las Islas Griegas (mar Egeo); las Islas del Pacífico (Hawai, Polinesia, etc.); el Mediterráneo, tanto europeo como africano, y el Caribe. Cuando se trata de un mercado que busca playas de arena blanca, mar tibio y culturas diferentes, el Caribe resulta muy llamativo.

En esta zona, nuestro *Mare Nostrum*, se presenta una verdadera fusión de razas y culturas acorde con las influencias colonialistas inglesas y holandesas, que sumadas a la española y a nuestras raíces africanas e indígenas, dan como resultado el mestizaje alegre, descomplicado y a la vez rebelde que es la raza caribeña. Cada subregión del Caribe presenta su tipo de arquitectura explosiva en colores, descritas con maestría por García Márquez, Carpentier y Fuentes, para

no citar otros, y además, con su única y característica música.

El caribeño, de firmes convicciones y apegado a su tierra siempre mojada por el mar, es un pueblo de luz, sonido y color. Cartagena de Indias es precisamente eso: un pueblo que supera la cromofobia. Usamos el color tanto en la arquitectura como en el modo de vestir. Nuestra idiosincrasia nos convierte en un pueblo sensual apreciado por todos.

Alejo Carpentier en *El Siglo de las Luces*, que es una gran crónica del Caribe, en uno de sus apartes anota: "Husmeaba con gozo la muelle fragancia de los aromas, la parda acidez del tamarindo, la carnosa blandura de tantas frutas de pulpas rojas y moradas que en recónditos pliegues guardaban semillas suntuosas con texturas de carey, de ébano o de caoba pulida". Todo este disperso pero homogéneo Caribe, da como resultado una verdadera simbiosis de razas y culturas. Aunque con individualidades propias, el Caribe es uno de los destinos turísticos más importantes y con un futuro ya palpable.

Cartagena de Indias, fundada en 1533 por el capitán don Pedro de Heredia, "provisto de capitulaciones" que lo acreditaron como el primer gobernador de la tierra firme, en el lugar en que se encontraba el pueblo caribeño de Calamarí o Kalamary, ofrece hoy la más variada y rica oferta hotelera a que puede aspirar una meta turística de importancia.

En 1996 la capacidad de hospedaje se incrementó en 1.500 nuevas habitaciones con la apertura de hoteles "cinco estrellas", todos bellísimos, de innumerables servicios para el descanso y la diversión, y afiliados a importantes cadenas hoteleras internacionales y nacionales, como el Hotel Internacional Cartagena de Indias, el Hotel Santa Teresa, de la cadena nacional de Pedro Gómez y Cía., y el Hotel Santa Clara, de la organización Sofitel y cuyo convento primigenio fue inmortalizado por nuestro Nobel García Márquez.

Estos, sumados a los también lujosos y funcionales Hotel Cartagena Hilton con su nueva ampliación; las Américas Beach Resort; el Hotel Capilla del Mar; el Hotel Caribe; Las Velas; el Decamerón y otros de reconocida importancia en la ciudad y en el exterior, presentan una gran oferta con precios competitivos en el área.

Al lado de los grandes hoteles descritos y de otros que en total suman 28 y que en su mayoría poseen amplias salas de reuniones, tenemos además las modernas instalaciones del Centro de Convenciones Cartagena de Indias, con capacidad de albergar hasta cuatro mil personas en salones con aire acondicionado, y otras cuatro mil al aire libre, con fabulosa vista hacia paisajes marinos. Así, la ciudad es atractiva para que se promuevan aun más convenciones y reuniones internacionales de toda índole.

En fin, Cartagena es un sitio lleno de leyendas donde la historia se funde con sus doce kilómetros de playas de temperatura agradable durante todo el año. Su música, de clara influencia afrocaribe, y su rica y variada comida, son grandes atractivos para que en el año 2000, cuando la cifra astronómica de 527.000 millones de dólares será el gasto turístico mundial, podamos alcanzar una parte de ese "botín" que merecemos, bajo el supuesto de que cambiarán los factores coyunturales que son transitorios.

Vale la pena destacar otro hecho de conformidad con la OMT (Organización Mundial del Turismo), las tres Américas recibirán 147 millones de turistas internacionales en el año 2000, y 207 millones en el 2010. Ello supone el doble de las llegadas turísticas del año pasado. Cartagena de Indias, con su riquísima historia militar y cívica y de sus once grandes asedios y otras incursiones no menos destructivas y sangrientas, la ciudad conventual donde San Pedro Claver y el padre Sandoval dejaron la huella profunda del humanismo cristiano, y por donde pasaron otros santos que hoy son parte de la iglesia americana, ya a las puertas del siglo

XXI, bajo la mirada vigilante del Cerro de la Popa verá llegar los grandes aviones y enormes cruceros marítimos. Esa es la esperanza de todos, para bien de la urbe y del país.

Por otra parte, ¿no es significativo y profético que nuestros más grandes hombres de la pintura y de las letras, como el desaparecido Alejandro Obregón, Enrique Grau y Gabriel García Márquez, hayan escogido a Cartagena de Indias para trabajar y vivir en ella, para no mencionar a otras también importantes figuras de nuestra vida artística y política que residen dentro de su acogedor ambiente y que hablan sobre su variada y ruidosa vida nocturna? Hoy, como las grandes ciudades del mundo, posee su Zona Rosa, donde multitud de turistas, mezclados con nuestras gentes, se divierten bajo los ritmos más diversos del mundo musical y degustan los más ricos manjares dentro de una muy selecta gastronomía.

Por algo también ha sido la ciudad escogida por muchos notables personajes de la vida social y cultural del mundo para vivir en ella en diversas oportunidades, como la viuda de Agnelli (de los magnates de los automóviles Fiat), Sam Green, Peter Tompkins, el famoso egiptólogo y autor del extraordinario libro *La vida secreta de las plantas*, la diva Greta Garbo, y visitada por reyes, príncipes y jefes de Estado de numerosos países, que la señalaron como destino turístico y para conferencias internacionales.

Cartagena sigue siendo, entonces, la capital turística y diplomática de Colombia.

Recordemos, parafraseando al inmortal Borges, que los nacidos aquí, en este rincón del mundo caribeño, *sentimos* en lo más hondo de nuestra alma, con esos fraternales sentimientos que ofrecemos a nuestros visitantes: "Mi patria es un latido de tambores, una promesa de ojos de color miel y piel morena, la oración evidente del sol ocultándose en el mar de los atardeceres".

Sector residencial y turistico de Bocagrande visto desde Manga (página anterior). En las temporadas altas del turismo, que coinciden con las vacaciones escolares, las playas de Cartagena brillan con el magnífico espectáculo de las mujeres bellas, el sol y el mar.

View of Bocagrande tourist and residential area seen from Manga (preceding page). During peak tourist seasons, which coincide with school vacation, Cartagena's beaches glitter with the magnificent spectacle of beautiful women, sun and sea.

El turismo constituye un verdadero fenómeno en Cartagena. En las playas, los adultos se vuelven niños y se entregan a las excitaciones del trópico, que les hacen olvidar los problemas de la vida cotidiana.

Tourism is a real phenomena in Cartagena. At the beaches adults become children, enjoying the excitement of the tropics, forgetting and leaving everything behind.

La economía informal o "rebusque" ofrece
al turista en la playa toda clase de productos.

The informal economy, or "moonlighting",
offers all kinds of products for the tourist on the beaches.

Al final del caluroso día,
cuando la playa se
queda sola, las
palenqueras se van con
su batea vacía. Al día
siguiente regresarán con
ella repleta de piña,
patilla y melón.

At the end of a hot day,
when the beaches are
deserted, the fruit vendors
leave with their empty
baskets. Next day they'll
return full of pineapples,
watermelons and honeydews.

Situado en el vibrante sector de Bocagrande el **Hotel Capilla del Mar** tiene 196 amplias y confortables habitaciones con una bella vista sobre el mar; posee también centro ejecutivo, salones de conferencia, bar giratorio, restaurante internacional, gimnasio, piscina y otras facilidades que se integran a la gran oferta turística de Cartagena.

Located along the vibrant Bocagrande area, the Capilla del Mar Hotel offers 196 spacious and comfortable rooms enjoying breathtaking ocean views. It also features a business center, conference rooms, revolving bar, international restaurant, gym, pool and other facilities catering to Cartagena's visitors

Los días nublados son escasos en Cartagena. Casi todo el año, la ciudad goza de temperatura cálida, refrescada por los vientos alisios entre diciembre y abril, lo cual garantiza el disfrute de las playas en forma permanente.

Cloudy days are rare in Cartagena. Almost all year long the city enjoys warm temperatures, refreshed by December to April tradewinds, guaranteeing total beach enjoyment.

La demanda de vivienda en Bocagrande estimuló la construcción de altos edificios de apartamentos, que le dieron un aspecto cosmopolita al otrora barrio de antejardines florecidos y patios de frondosos árboles. Las mariamulatas hacen parte del "decorado" de Cartagena. Estos pájaros estilizados pasaron ya al arte, al ser plasmados por el pintor cartagenero Enrique Grau en una serie de óleos y esculturas.

Housing demand in Bocagrande has encouraged construction of high rise apartment buildings, giving this former flower garden and luxuriant patio neighborhood a cosmopolitan skyline. "Mariamulatas" are part of Cartagenean's decoration. This stylized bird has passed on into art thanks to a series of oils and sculptures by Enrique Grau, the Cartagenean painter.

El **Hotel Intercontinental** de Cartagena está localizado en el sector turístico de Bocagrande, ideal para el viajero de negocios. Cuenta con un centro ejecutivo equipado con la más avanzada tecnología y siete salones con capacidad de 1.025 personas en recepción y 760 en banquetes. Además de ofrecer 250 habitaciones de lujo, en el hotel funcionan cuatro restaurantes, un club de salud/gimnasio y una agradable piscina.

The Cartagena Intercontinental Hotel is located along the Bocagrande tourist area. It's ideal for business travelers, featuring a state-of-the-art business center and seven salons for 1,025 standing reception guests and 760 sitting banquet invitees. The Hotel boasts 250 deluxe guest rooms, four restaurants, a health spa/gym and an inviting pool.

Toda aventura es posible
en Cartagena. Ni la garza
ni la bella mujer se
percatan de la altura que
ha alcanzado este
paracaidista amante de
las emociones intensas.

Any adventure is
possible in Cartagena.
Neither the stork or the
beautiful woman seem to
notice the altitude
reached by the thrill
seeking parachutists.

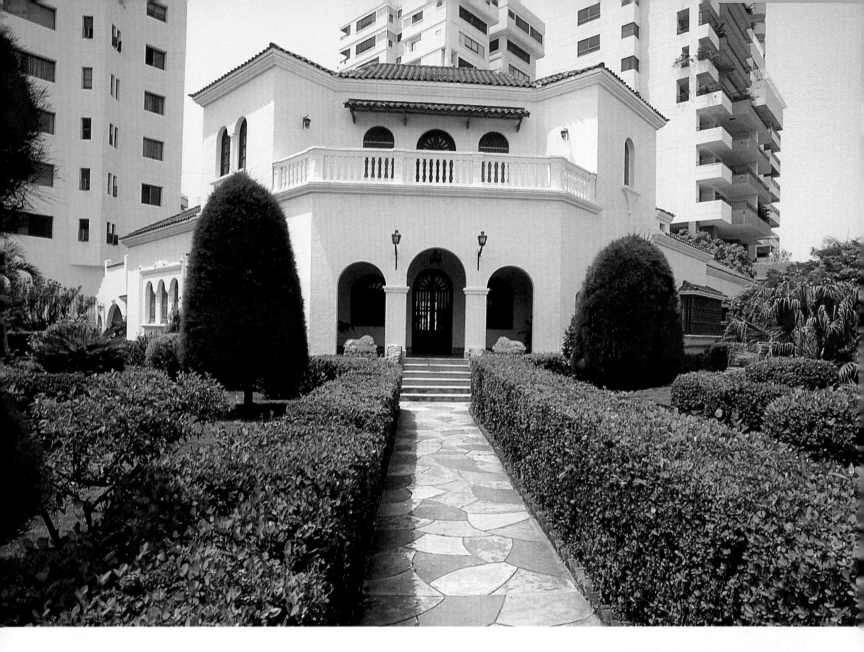

Los años cincuenta le
otorgaron esplendor al
barrio de Bocagrande,
con grandes casas de
legítimo aire caribe.
En los patios llenos de
árboles, ahora en vías de
extinción, no faltaban los
loros, las guacamayas y
hasta los exóticos pavos
reales.

The 1950's were
splendorous years
for the Bocagrande
neighborhood, with
grand homes of
authentic Caribbean
airs.

Más acogedora luce ahora, después de su ampliación, la sede de esta prestigiosa joyería cartagenera, **Big Ben's Joyería,** situada en el número 10-75 de la Avenida San Martín de Bocagrande. Los residentes y los turistas la conocen por sus diseños exclusivos de alhajas de oro, su gran variedad de artículos de plata y su amplio surtido de relojes, esmeraldas certificadas y otras piedras preciosas.

Its main shop at Number 10-75, Avenida San Martín at the Bocagrande neighborhood looks so much more inviting after its expansion. Residents and visitors know Big Ben's for its exclusive gold jewelry designs, great variety of silver items, watch selection, certified emeralds and other precious stones.

En el **Hotel Las Velas**, sobre las playas del mar Caribe, el huésped disfruta un grato ambiente tropical complementado con una variedad de servicios que hacen de su permanencia en la ciudad una maravillosa experiencia. Además, presta otros servicios como sala de conferencias, fax y ayudas audiovisuales.

Guests at Las Velas may enjoy its Caribbean Sea beach tropical setting pampered by a variety of services dedicated to making your stay unforgettable. It also provides conference room, fax and visual aid facilities.

Los turistas gozan deslizándose sobre el mar en *jet skies*. Otras opciones de diversión brindan un colorido panorama desde las playas, que en Cartagena hasta florecen.

En el sector de El Laguito, pequeña península artificial robada al mar, se congrega la mayor parte del turismo. En sus playas y establecimientos nocturnos se reúne la juventud en permanente rumba.

Tourists enjoy speeding along on jet skies. Other recreational options provide colorful vistas from the beaches, which in Cartagena abound.
Along the El Laguito area, a small artificial peninsula taken from the sea, is where most tourism is focused. Young party folks frequent its beaches and night spots.

El **Hotel Cartagena Hilton** es uno de los más modernos hoteles y centro de convenciones de Colombia. Puede ser simultáneamente lugar de veraneo y sede de grandes eventos. Ofrece además de sus 289 habitaciones y la calidez en sus restaurantes: El Tinajero Steak and Seafood House y Las Chivas, tres fabulosas piscinas sobre el mar Caribe, tres canchas de tenis, un gimnasio, un parque infantil y un centro ejecutivo cuyo salón tiene capacidad para 1.100 personas.

The Cartagena Hilton Hotel is among Colombia's most modern hotels and conference centers. It may simultaneously be a superb recreation destination and a practical spot for events. In addition to its 289 guest rooms it offers two cozy restaurants: The Tinajero Steak and Seafood House and the Las Chivas; three fabulous pools along the Caribbean Sea, three tennis courts, gym, children's playground and a convention center for 1,100 people.

Panoramica del barrio de Bocagrande,
con la bahía al fondo (página anterior).

*Panoramic view of Bocagrande, with the bay
on the background (preceding page).*

En una larga lengua de tierra que se desprende de Bocagrande,
entre la bahía y El Laguito, Castillogrande ha mantenido su carácter de apacible barrio residencial.

Along a long land strip emerging from Bocagrande, between the bay and El Laguito, Castillogrande has kept its peaceful residential neighborhood features.

Los habitantes de los
barrios Bocagrande y
Castillogrande utilizan
los paseos peatonales
para realizar caminatas
matutinas y vespertinas,
en procura de un buen
estado físico o de
distraer a los niños.

*Bocagrande and
Castillogrande folks
enjoy morning and
afternoon walks along
their promenades to keep
fit or to entertain kids.*

En 1934, cuando Colombia se preparaba para el conflicto con el Perú, se consolidó en Cartagena una marina de guerra luego de cuatro intentos de crearla. Hoy la ciudad es sede del Comando de la Fuerza Naval del Atlántico, integrado por la Base Naval, situada en el antiguo puerto de La Machina, en Bocagrande, y la Infantería de Marina.

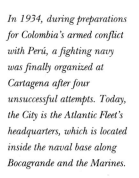

In 1934, during preparations for Colombia's armed conflict with Perú, a fighting navy was finally organized at Cartagena after four unsuccessful attempts. Today, the City is the Atlantic Fleet's headquarters, which is located inside the naval base along Bocagrande and the Marines.

La vocación turística de Cartagena es inmensa. Además de millares de visitantes que llegan por las vías aérea y terrestre, recibe alrededor de ciento cincuenta cruceros con pasajeros de todas las nacionalidades del mundo. El muelle turístico, construido en el sector de Manga, sobre la bahía, está equipado para atender todas las necesidades de estos barcos, los cuales arriban durante todo el año, pero especialmente en la temporada de noviembre a abril.

Cartagena's tourism vocation is boundless. In addition to thousands of visitors arriving by land and by air, about one hundred and fifty worldwide passenger cruises call at its port. The Manga's tourist port, along the bay, is equipped to service all ship needs. They call year-round, particularly from November to April.

To the city's north, along Caribbean shores and near the new beltway, deluxe hotels and apartment high rises have sprouted all over, earmarking this area as a new tourist destination. Several resorts, which shall be managed by international chains, are under construction.

Hacia el norte de la ciudad, sobre las playas del Caribe y al paso del nuevo anillo vial, vienen surgiendo hoteles de lujo y edificios de apartamentos que han definido este sector como un nuevo eje turístico. Varios *resorts*, que serán operados por cadenas hoteleras internacionales, están en construcción.

Frente a las playas de La Boquilla se encuentra el moderno complejo turístico las **Americas Beach Resort**. Espacio y *confort* en las 250 habitaciones, todas con balcón y vista al mar. Salón para convenciones con capacidad para 320 personas, tres piscinas, gimnasio, sauna, salas de belleza, además de deportes náuticos como el esquí, *wind surfing*, *jet sky* y las canchas de tenis y de golf. El lugar ideal para unas vacaciones modernas.

Along the beaches, just across The Boquilla inlet, lies The Americas Beach Resort. Its 250 guest rooms are spacious and comfortable, enjoying terraces and ocean vistas. It boasts convention facilities for 320 people, three swimming pools, gym, sauna, beauty salons and water sports including water skiing, wind surfing, jet skiing and tennis and golf courses. Just the spot for a modern vacation!

Playas en Islas del Rosario (página anterior). Las cinco islas del Archipiélago de Nuestra Señora del Rosario, frente a las costas de Cartagena, son famosas por su agreste belleza y por la abundancia y calidad de la pesca. Estos factores indujeron, en la década de 1940, a un grupo de pescadores deportivos a levantar sus casas de recreo en aquel paraíso, y su ejemplo fue seguido por muchos otros cartageneros y colombianos, que hoy lo tienen como su lugar favorito de descanso.

Beaches at Rosario Islands (preceding page).
The five Nuestra Señora del Rosario Archipelago islands, across Cartagena's coasts, are famous for their wild beauty and for their abundant and quality fishing. This encouraged a group of sport fishermen to build their recreational homes during the 1940's on this paradise. Their trailblazing was followed by many other Cartageneans and Colombians who today enjoy a favorite rest spot.

*Imagination and local
materials, such as the
hemp and the
"bahareque", stand out
in the constructions on
the Rosario Islands.
The vast interior spaces
and large windows
provide ample sea breezes.*

La imaginación y los
materiales autóctonos
como el bahareque y la
palma de coco predominan
en las construcciones que
han ido poblando las Islas
del Rosario, y en las cuales
los espacios abiertos y los
grandes ventanales dan vía
libre a la brisa marina.

El Acuario San Martín, en una de las Islas del Rosario, es visitado por millares de turistas que se entusiasman conociendo la gracia y la vida de los delfines y de infinidad de especies marinas. El Parque de Corales del Rosario, en la Isla de Barú, es el único de tipo submarino que existe en Colombia. Sus 18.000 hectáreas de jardines subacuáticos forman un escenario espectacular para los aficionados al buceo.

The San Martín Aquarium, on one of the Rosario Islands, is visited by thousands of tourists delighting with the grace and liveliness of the dolphins and other sea creatures. The Rosario Coral Park, on Barú Island, is the only underwater park in Colombia. Its 18,000 hectares of submarine gardens create spectacular sceneries for diving fans.

El pintor francés Pierre Daguet se enamoró de Cartagena y se quedó en ella en los años cuarenta. La Isla Majagua, del archipiélago del Rosario, fue su refugio y principal fuente de inspiración. (Allí se construyó el primer hotel de las islas, operado hoy por la cadena internacional Sofitel).

Pierre Daguet fell in love with Cartagena during the 1940's and stayed there. Majagua Island, on the Rosario Archipelago, was his refuge and main inspirational source. (The first island hotel was built there. It is operated by the Sofitel chain).

Las cristalinas aguas y
las arenas blancas de la
Isla de Barú forman un
excelente escenario para
la navegación a vela y
otros deportes náuticos.

*The crystal blue waters
and the white sand
beaches of Barú Island
serve as a perfect setting
for sailing, snorkeling
and other water sports.*

Los nativos de Barú tallan la madera con extraordinario talento, el cual han ido perfeccionando
gracias a la creciente demanda de sus objetos para decorar las casas de las Islas del Rosario.

Barú natives carve wood with exceptional talent, which they have been perfecting thanks to the growing demand for home decoration items for Rosario Island homes.

Las noches de Cartagena son famosas, no sólo por la canción de Jaime R. Echavarría sino porque en realidad tienen un halo mágico. La vida nocturna sobrepasó los contornos de El Laguito y Bocagrande, donde se congregó durante mucho tiempo, y penetró en casi todos los ámbitos de la ciudad. En la Calle del Arsenal, inmediaciones del Centro de Convenciones, la bohemia de los pequeños cafés se mezcla con la rumba de las discotecas y los bares, la cual se prolonga hasta el amanecer. El encanto del sector amurallado parece aumentar al llegar la noche y abrirse las puertas de restaurantes, bares y discotecas instalados en casas restauradas y en las propias murallas. Otras alternativas son una rumba en "chiva", un paseo en coche o una salida en yate por la bahía.

Cartagenean nights are well known, not just for Jaime R. Echavarría's songs, but because they are truly magical. For many years nightlife focused on the El Laguito and Bocagrande areas. Today it has spread out to all of the City quarters. Along Arsenal Street, near the Convention Center, the bohemian ambiences of its cafés mix with the party sounds from its discotheques and with the liveliness of its bars, all into the wee hours of the night. And, the walled quarter's charm seems to grow at nightfall when restaurants, bars and discotheques, serving from restored houses and from the bulwarks themselves, open their doors to revelers. Other alternatives are evening rides on the "chiva" jitneys, on housedrawn carriages and cool bay evening sailings.

Kumba, uno de los sitios más acogedores de Cartagena, satisface en un mismo ambiente las tentaciones de la carne y de la rumba. Kumba Parrilla, por ejemplo, es ideal a la hora del almuerzo para saborear el menú empresarial o las delicias de la variada carta a base de carnes, pollo o pescado. Y en la noche se prende la Kumba Rumba con los éxitos musicales de actualidad en medio de un colorido juego de luces, en sus instalaciones de la Avenida del Arsenal.

One of the coziest spots in Cartagena, catering to the pleasures of barbecuing and partying à la "rumba". Kumba Parrilla is ideal for its tempting luncheon executive menu and for its delightful beef, chicken and fish varieties. And in the evening, Kumba Rumba, at Avenida del Arsenal, takes to the beats of the latest dance crazes amid showers of colorful lights.

Los cafés y bares de la Plaza de Santo Domingo se han convertido en lugar obligado para los visitantes y, desde luego,
para los propios cartageneros. Los románticos, los rumberos y hasta los indiferentes encuentran allí un rincón para disfrutar la mágica noche de la ciudad.

*The Santo Domingo Plaza cafes and bars have become favorite rendevous spots for visitors and locals. The romantics, the party seekers,
and even the indifferent, will find a nook there to enjoy the City's magic.*

El alma caribe es alegre por naturaleza, y en Cartagena esa alegría se contagia. Para hacer una fiesta puede bastar un tambor, o una guacharaca, o simplemente un radio. La ciudad tiene orquestas de renombre. El Festival de Música del Caribe, que se realiza todos los años, trae las mejores agrupaciones de *reggae* y *calypso*, así como grupos africanos que han influido en el surgimiento de la música "champeta" de nativos del Palenque de San Basilio, el pueblo de mayor pureza africana de la región.

The Caribbean soul is joyous by nature, in Cartagena this liveliness is contagious. For a party to start up, a drum, or a pair of maracas, or even a radio, is all what is needed. The annual Caribbean Music Festival attracts the best reggae and calypso groups, as well as African groups who have encouraged the rise of "chumpeta" music by the natives of Palenque de San Basilio, the area's most genuine African town.

El Festival de Cine de Cartagena llegó a sus treinta años convertido en el más importante de Latinoamérica. Su gestor, el cartagenero Víctor Nieto, ha tenido éxito en su empeño de congregar, en marzo de cada año, películas y personajes de los cinco continentes y de impulsar el cine latinoamericano.

The Cartagena Film Festival has run for 30 years, making it one of Latin America's most outstanding. Víctor Nieto, its organizer, has successfully gathered, in March of every year, films and personalities from five continents, successfully promoting Latin American films.

El Museo de Arte Moderno de Cartagena ocupa desde diciembre de 1979 dos edificios construidos por la Corona española en el Siglo XVII para la Aduana del Puerto de Cartagena. El Museo cuenta con una amplia colección de obras de artistas nacionales e internacionales y en sus salas se realizan exposiciones durante todo el año. También tiene una cinemateca.

Since 1979 Cartagena's Museum of Modern Art is housed in two buildings built by the Spanish Crown during the XVII Century for the Cartagena Port Customs. The Museum has a significant collection of local and international artists. It has year-round showings at its salons. The museum also has a film library.

LA CULTURA EN CARTAGENA

FRENOS Y DESENFRENOS, BUNDES Y ESCRITURAS DE UNA CIUDAD MESTIZA

JORGE GARCÍA USTA

El siglo XX llega a Cartagena cuando aún la ciudad permanece anclada en los fastos mentales de la Colonia y pagando las consecuencias tremendas del impulso independentista: Cartagena es un baluarte, ya no militar sino civil, de resonancia cortesana de todo lo español. La liberación pareció sólo un triunfo militar, pero no logró constituir un ademán sostenido de libertad cultural. A principios del siglo XIX, la ciudad fue brutalmente destruida por el sitio de Morillo, después de una impresionante revuelta social y la reconquista produjo un renacer del espíritu hispanizante, fruto no sólo del terror que infundía el tenebroso reconquistador sino de la continuidad de la adoración de lo español, que perduró hasta más de cien años después.

A principios del siglo XX, la ciudad seguía representando la tragicomedia europeísta: la música, que se bailaba en grupos selectos y en traje de etiqueta, se sostenía en ritmos como el vals y la mazurca; las altas reuniones sociales se celebraban en los llamados bailes de salones —diferentes del baile abierto, al aire libre, de mulatos y negros—, la escritura simulaba el estilo hispánico (a pesar de la aparición de los primeros coqueteos galicados en la prensa), y la ciudad apenas si levantaba su cabeza de entre los escombros que hacían del centro histórico una sucesión de fantasmas dolorosos.

En la segunda mitad del siglo XIX, todo olía a ruina: según cronistas europeos y locales, el paisaje físico de la ciudad era desolador, las casas del centro amurallado estaban, en gran parte, abandonadas o destruidas, y el dominio ideológico de la ciudad recaía en un solo hombre, Rafael Núñez, que unía a una poesía de estrofas y ritmos rudimentarios y saturada de símbolos religiosos hirsutos —que se publicará, como primicia y con gran amplitud, en su propio periódico—, una gran capacidad ensayística y un inobjetable talento político, que le permitió cumplir uno de los papeles políticos más destacados de la historia nacional. Su legado ideológico, repudiado por los liberales de izquierda del futuro inmediato y reconocido por los conservadores, minoritarios y férreos, será una de las mayores paradojas que dividirá el alma de la ciudad. En el futuro, cada político y cada hombre de acción o de cultura se hará reconocer por su posición ante la herencia nuñista, que oscilará entre el repudio visceral y la glorificación sin medida. Pero durante más de medio siglo no se intenta una visión equilibrada de Núñez.

La ciudad que entra en el siglo veinte está de frente a las necesidades imperiosas del progreso, pero de espaldas al reconocimiento de sus fuerzas étnicas y de sus incipientes disparidades culturales. Apostando el ascenso social a la influencia de los apellidos, es una pequeña ciudad a la que se impone la condición de

Bibiana Vélez, Enrique Grau, Alfredo Guerrero y Heriberto Cuadrado Cogollo representan tres generaciones de pintores vivos que han interpretado el alma de Cartagena.

sociedad blanca, y que entiende la historia como la manifestación gloriosa de sus héroes más prudentes y transaccionales; una ciudad vuelta hacia sus nostalgias, y esa actitud —la adoración fanática e impostada de su pasado— se convertirá en el emblema más usado de su futuro.

Cronistas como Daniel Lemaitre y Aníbal Esquivia describen la ciudad que crece, con sus locos de calle y sus encantos casi pueblerinos, y en la que aún parpadean los faroles.

En aquellas candorosas monotonías, los hombres importantes de la cultura son los poetas románticos y los historiadores tradicionales, que integran un bloque especialmente retrógrado, que maneja los órganos de difusión del pensamiento y la cultura. Prolifera, incontenible, el verso sobre el paisaje, que incluye no pocas ni flacas lágrimas sobre murallas y baluartes. La cultura se confunde con la historización del pasado, que es, tanto en sus escritores más documentados como en sus creadores de leyendas puras, la expresión de una frustración social crónica: los cartageneros hablan, sin contención, de un pasado glorioso, repleto de hechos heroicos, pero los diarios poco a poco comienzan a salir de esa mentira repeti-

tiva y a interesarse por la ciudad real. La Academia de Historia, siempre en manos de la corriente más tradicionalista, emite, durante años, un boletín que rastrea la importancia de los monumentos militares coloniales, investiga y discute genealogías —una de las pasiones más encarnizadas de la intelectualidad cartagenera de principios de siglo, y casi un deporte municipal—. Los poetas románticos que entran al siglo XX no ostentan un solo signo de renovación. Influida por el ejemplo cementerial de Julio Flórez, esta poesía tiene como receta el soneto y como tema el canto melifluo de amadas asexuadas y paisajes penumbrosos. No en vano, Gabriel Calvo, dueño de la más sabrosa crónica oral de la ciudad, reaccionaría ante la conducta de los incontables poetas románticos de la ciudad. Cuando dos de ellos pasean en coche, alguien le pregunta a Calvo por el lugar hacia donde van los poetas. Calvo, sin inmutarse, responde: "¿Hacia dónde va a ser? Van, como siempre, a fregarle la paciencia al crepúsculo". La prensa, tal vez cansada de la monotonía local, está más interesada en los succsos dc Europa —donde la Primera Guerra es el suceso más trascendental— y divide sus páginas entre los hechos bélicos del viejo continente y los manejos de la política nacional. Con

Bibiana Vélez, Enrique Grau, Alfredo Guerrero and Heriberto Cuadrado Cogollo represent three generations of artists who have interpreted Cartagena's essence on canvas.

muy pocas fotografías, se trata de periódicos muy diversos en su escritura como son los casos de *El Porvenir* y *El Fígaro*, con secciones muy confundidas en su presentación y con una postura ideológica muy clara. Los periódicos combaten por ideas: la vida real que interesa a plumígrafos ocasionales y a periodistas sinceros es la vida política, y sólo de vez en cuando saltan a esas páginas, iniciativas sobre el progreso local, que comienza a ser muy importante. La otra vida, la de los hombres que pueblan la ciudad, no existe. Acaballado sobre la política, el periodismo cartagenero sigue haciendo de los políticos, y en menor medida de los empresarios, los hombres que ocupan la atención de todos.

La ciudad inició su crecimiento material. Se construyeron el acueducto, la planta eléctrica que ilumina la villa, el ruidoso ferrocarril hacia Calamar, y el Teatro Municipal, que desde entonces, y durante más de 50 años, se convirtió en el centro de veladas artísticas muy diversas, no todas de gran calidad como lo pretende la crónica idealizadora de la época. Por allí desfilan, por igual, Tita Ruffo —a quien un cartagenero despalomado y seductor le envía flores, creyendo que es mujer— y Yehudi Menuhin, el violinista sin par de

los años cuarenta y cincuenta, hasta los juglares vallenatos Abel Antonio Villa y Rafael Escalona a finales de los años cuarenta. Pero también se celebran ceremonias estudiantiles de fin de año y comedietas escolares. Pero el alma de la ciudad no la interpretarán los políticos, y mucho menos los historiadores, sino los poetas, los cronistas y algunos periodistas. La poesía de Luis Carlos López, el poeta que afronta la inicial incomprensión social y permite el mito venidero, surge como una propuesta incómoda: un lenguaje coloquial que empieza por burlarse de toda la tradición romántica y que emerge con su humor subversivo, su poderosa elementalidad y su afán por nombrar el paisaje de otra manera: López, corrosivo y revolucionario, emplea a fondo su sostenida y hasta risueña angustia de cartagenero que ve cómo a su ciudad se le endurece el alma.

La primera gran ruptura con el espíritu cultural ensimismado de Cartagena la protagoniza la burla que le propone López a la adoración de su pasado, a su presente estancado y a su lenguaje falaz. Algunos artículos de prensa dicen que esa osadía es sólo vulgaridad, pero López sigue en su tarea de demolición, y su paradójico amor por una ciudad, en la que hasta muy

Casa de Darío Morales.
Darío Morales's house.

entrado el siglo XX, la influencia del clero era impresionante: incide en la vida de los cartageneros, en sus miedos y rencores, y hasta en su intimidad doméstica. Un papel destacado lo comienza a jugar la tertulia que se reúne alrededor de El Bodegón, que edita una revista muy cartagenera dirigida por Jacobo del Valle, pues al lado del apoyo a la poesía de López —que termina siendo su mérito principal— se publican toneladas de mala y melcochuda poesía, se comentan, con prosa hidalga, los matrimonios de la elite, los cumpleaños de sus niños, las delicias de sus reuniones. Pero se ensayan, también, algunas campañas cívicas para componer calles y construir sitios de beneficencia. A El Bodegón se le acostumbra imaginar como un radiante cenáculo de intelectuales irreverentes y sarcásticos, que revolvieron la insulsa vida cultural de Cartagena durante los primeros cuarenta años de este siglo, y cuyas manifestaciones como presunto centro cultural rebasaron las fronteras regionales hasta aparecer como una publicación, un núcleo de humor y

un movimiento de insistente proyección social ante los ojos y el probable escándalo del país solemne. Pero su mérito más auténtico es la defensa de la poesía y la persona de Luis Carlos López, y algunas iniciativas cívicas.

Uno de los signos más perdurables de la tradición artística cartagenera será, de un lado, la tendencia a la simulación y de otro, la imposibilidad de unir el impulso personal a la contribución universal. La música será un ejemplo muy claro de esta contradicción. Las primeras enseñanzas musicales académicas las imparten los maestros italianos que se vinculan al Instituto Musical de la ciudad, desde fines del siglo XIX, que desde entonces establece —por más de 60 años— una enseñanza en la que se renuncia a unir la ilustración europea y las virtudes populares. El instituto se ufana de enseñar gramática musical, pero en cuanto oye un tambor, cierra sus puertas y señala al hereje, y a veces lo expulsa. Así pues, el grupo modelo del ambiente musical es la banda que interpreta

Escuela de Bellas Artes de Cartagena. El restaurado edificio que hoy es sede de la Escuela , situado frente a la Plaza de San Diego,
fue un día cementerio y posteriormente cárcel.

The Cartagena Fine Arts School. The School's current location is in a restored building, across from San Diego Plaza,
which was a cementery at one time and a prison later on.

valses y óperas. Por otro lado, se desplaza el ritmo vi-
rulento de la Jazz Band, agrupación musical que se
convierte en la verdadera escuela de los músicos
populares de la región.

El espacio musical de la tradición culta de Cartagena,
después de las composiciones populares de Daniel
Lemaitre, lo ocupan el sinceano Adolfo Mejía, y
Guillermo Espinosa, hijo del barrio El Espinal.

En 1940 se produjo uno de los primeros y más intere-
santes intentos de incorporar a la literatura cartagenera, una visión de vanguardia. En el diario *El Figaro*
—dirigido por el historiador conservador Eduardo
Lemaitre— se reúne un grupo de muy jóvenes poetas
integrado por Jorge Artel, Gustavo Ibarra Merlano,
José Nieto y Jacinto Fernández, que fundan el movimiento de "Mar y Cielo", en clara referencia al dominio y virtudes de "Piedra y Cielo" en las letras bogota-

nas, pero desde una afirmación de lo marino que
hacía del mar y de la libertad, del color de las tardes
y del amor imposible pero sensual, los elementos de
una nueva expresión regional, está el aire de una
renovación sincera, posterior —y en muchos casos,
diferente— a Luis Carlos López. Artel, a fines de los
años veinte, había recibido en Barranquilla, en el diario *La Nación*, el estímulo y las sugerencias del periodista y escritor Clemente Manuel Zabala, quien logró
enderezar su impulso parnasiano hacia el mundo de
lo mulato.

La polémica de Mar y Cielo con los centenaristas de
Cartagena no tarda. Estos —entre quienes es posible,
paradójicamente, hallar dirigentes liberales de
izquierda y miembros de la reacción conservadora—
los atacan de producir una poesía incomprensible y
fácil, y ellos se defienden asegurando que están tra-

A la izquierda, aspecto exterior de la residencia del escritor García Márquez construida por el arquitecto Rogelio Salmona. A la derecha, el edificio de estilo republicano realizado por don Luis Felipe Jaspe, donde funciona la biblioteca Bartolomé Calvo. Abajo, patio interior de la Escuela de Bellas Artes.

Left, outside view of García Márquez' home built by the architect Rogelio Salmona. Right, Republican style building completed by don Felipe Jaspe currently housing the Bartolomé Calvo library. Below, interior garden, Fine Arts School.

zando un nuevo lirismo. Un miembro sagaz de los centenaristas inventa un poeta, Estrada Montoya, con el fin de parodiar el estilo de Mar y Cielo y ridiculizar la nueva escuela. En el *Diario de la Costa* aparece la foto del actor norteamericano Tyrone Power, al que se identifica como Estrada Montoya, y se publican poemas apócrifos: la parodia es inteligente e irónica y los miembros de Mar y Cielo responden al ridículo, fraguado por los centenaristas.

En 1948, Clemente Zabala, periodista silencioso, viejo, y recursivo gaitanista, es el orientador del diario liberal *El Universal*, que aparece como un refugio del liberalismo en una ciudad cuya prensa estuvo dominada siempre por las iniciativas conservadoras. Zabala incorpora al diario a los jóvenes escritores Gabriel García Márquez y Héctor Rojas Herazo, acepta las colaboraciones de Artel y de Manuel Zapata Olivella, y convierte la página editorial del diario —generalmente centro de la lagartería social, la prosa bobalicona y el panfleto político— en un campo del buen estilo, las columnas inteligentes, la renovación del decir. Allí, en las columnas de Zabala, Rojas Herazo y García Márquez, y en los ensayos de Ibarra Merlano, se fragua lo mejor del nacimiento del periodismo moderno de la costa caribe. Otra paradoja considerable: una explosión de juventud cultural nacida en un medio aún gobernado por el atraso mental crónico.

La década de 1960 produce nuevos fenómenos en la cultura cartagenera. Bajo la tutela redentora del pintor francés y mecenas Pierre Daguet, se abre paso una interesante corriente de pintores y artistas de otros oficios, que se agrupan bajo el nombre de "Grupo de los 15", del cual forman parte Darío Morales, Heriberto Cuadrado Cogollo, Blasco Caballero, Héctor

Díaz, Arnulfo Luna. El aire está tomado por los vientos del surrealismo. La ciudad sigue pareciéndose mucho a la villa detenida, pero ahora los nuevos artistas quieren, otra vez, inquietarla. Daguet se rebela en silencio contra la mediocridad ambiental y la desvaloración real de los artistas; exige que los cuadros sean bien pagados; colabora en exposiciones colectivas; enseña y discute, y trasmite una información cada vez más moderna, en desacuerdo con los moldes academicistas excesivos que imperaban en la escuela, donde inclusive, a principios de la década de 1960, se produjo un revuelo insólito por la utilización de modelos desnudas en el salón de clases.

Morales emerge de ese ambiente semiconventual y escoge, por puro olfato y curiosidad de juventud, el desnudo impávido y frontal como tema perpetuo, reclamando siempre, sin embargo, que "mi sensualidad viene de las palenqueras", mientras que Cogollo, hijo de Africa, se regodea con sus mujeres de pechos y caderas opulentas.

Nuevos periodistas aparecen en la ciudad, portadores de un nuevo sentido de la crónica, como Alfredo Pernett y Santiago Colorado, quien se convertirá, años más tarde, en un sobresaliente impulsor de los jóvenes talentos literarios.

En las décadas de 1970 y 1980, el arte más cultivado es el teatro, vinculado en un sentido contestatario en el que se expresan nuevos contenidos ideológicos creados por la obra de teatreros como Alberto Llerena, Régulo Ahumada, Alberto Sierra, Jaime Díaz, Fernando Pautt, Jaime Borja, Laura García y Manuel Burgos, entre otros —deudores todos del esfuerzo de Juan Peñalver, Luis Enrique Pachón y Germán Moure—, a los que seguirán directores como Iván González y Eparkio Vega.

Detalle de la restauración de una cariátide que retornará a su ubicación original en el Teatro Heredia.

Detail of the restoration of a caryatid (female shaped column) which shall be returned to its original Heredia Theater location.

Surgen nuevas revistas en la ciudad, como *En tono menor*, que ensaya el aprendizaje novedoso del reportaje periodístico, el ensayo literario, la poesía y el cuento, y logra aglutinar en torno suyo a un grupo importante de escritores, entre los que se cuentan el historiador Alfonso Múnera, los poetas Rómulo Bustos y Pedro Blas Julio, y el cuentista Pedro Badra.

Las obras de escritores como Héctor Rojas Herazo, Germán Espinosa y Roberto Burgos Cantor, que descifran el alma de Cartagena en distintas fases de su historia, cautiva a los nuevos lectores, que erigen en torno de ellas, gozosas actitudes de culto. García Márquez, cautivado y empujado por sus nostalgias cartageneras de los años cuarenta, sitúa dos de sus últimas novelas en Cartagena y propone en medio de la turbulencia de los prejuicios ancestrales, el amor como única forma de resolver el enigma de la muerte.

En los últimos treinta años se consolida y se expande el Festival Internacional de Cine, dirigido por el empresario y cinéfilo Víctor Nieto, que le imprime al evento un carácter inesperado pero efectivo, el de impulsor del desatendido pero revelador cine latinoamericano. Entre realizadores destacados, divas auténticas y pequeñas actrices nudistas, entre directores del cine negro estadounidense y leyendas del cine mexicano, el Festival logra asentarse como una cita anual obligada para directores y productores de cine en esta región del mundo.

Un grupo de fanáticos de la cultura caribe, entre los que sobresalen Alejandro Obregón, Antonio Escobar y Paco de Onís, idean el Festival de Música del Caribe, que tiene la ventaja insólita de introducir, de manera fresca y masiva, los nuevos ritmos de las Antillas en la misma ciudad que había visto nacer a Joe Arroyo y crecer a músicos como Lucho Bermúdez y Pianeta Pitalúa, a Rufo Garrido y Clímaco Sarmiento, pero que vio eclipsado el impulso creativo de sus fuentes populares. El remezón del Festival comienza con el *reggae*, pero abarca ritmos como el *socca* y el calipso, y luego, de repente, empiezan a venir cantantes africanos que viven en Europa y aceleran la aparición de un fenómeno singular, el surgimiento de la música "terapia" o "champeta", es decir, música de resonancias africanas hecha por músicos cartageneros, en buena parte provenientes del Palenque de San Basilio, el pueblo de mayor pureza africana en la región.

La infraestructura cultural de la ciudad alimenta nuevas formas de relación: la Universidad de Cartagena, su seminario de cultura del caribe y sus grupos culturales, la Biblioteca Bartolomé Calvo del Banco de la República, la Escuela de Bellas Artes, el Centro Cultural Español, la Alianza Colombo-Francesa y los comités culturales de los barrios trazan un mapa promisorio de gestión cultural y promoción de los mejores signos de la ciudad.

El movimiento cultural de Cartagena se ha diversificado de manera amplia y se proyecta hoy, según el escritor Ariel Castillo, con inobjetable capacidad de liderazgo sobre la región. Pero más allá de eso, parece obedecer al propio ritmo de crecimiento y expansión de la ciudad, en una amalgama indiscernible de influencias muy diversas y de riquezas tan profusas, que inclusive el decaído Teatro Heredia, el viejo espectador de las pasadas glorias, quiere ahora levantar su cabeza de entre los escombros y ofrecerse otra vez como escenario, después de más de treinta años de plácido letargo.

La **Corporación Universitaria Tecnológica de Bolívar** nació hace 27 años en una bella casona del tradicional barrio de Manga. Hace más de dos décadas la gobiernan y dirigen los gremios económicos de Cartagena comprometidos en formar profesionales de óptimas calidades morales y ciudadanas, como los dos mil egresados hasta el momento, ingenieros en su mayoría, aspecto que la convierte en factor de desarrollo industrial y empresarial para la ciudad.

The Universidad Tecnológica de Bolívar was founded 27 years ago in a beautiful mansion along the traditional Manga neigborhood. It has been managed and directed for more than two decades by the business community committed to training top quality professionals. It has graduated 2,000 alumni, mostly engineers, no doubt making it an important industrial and business catalyst for the City.

A quince minutos de Cartagena queda el Jardín Botánico, variada y extensa muestra de fauna y flora tropical. El terreno, perteneciente a la Hacienda Matute, de la familia Piñeres, fue donado por doña Maruja de Piñeres.

The Botanical Gardens, fifteen minutes from Cartagena, houses a wide sampling of tropical flora and wildlife. Its land on the Maturte Hacienda, property of the Piñeres family, was donated by doña Maruja de Piñeres.

Desde 1934 se realiza en Cartagena, en el marco de las fiestas de independencia, el Reinado Nacional de Belleza. En él participan candidatas de todos los departamentos, y constituye un encuentro de integración nacional. La primera Señorita Colombia fue la cartagenera Yolanda Emiliani Román, y la más querida y admirada, la también cartagenera Susana Caldas Lemaitre..

Since 1934 the National Beauty Queen Contest has taken place in Cartagena within the setting of its popular festivals. Candidates from all departments participate, serving as a grand national gathering.

CARTAGENA,

LA CIUDAD QUE INTEGRA A COLOMBIA EN TORNO DE LA BELLEZA

R A I M U N D O   A N G U L O   P I Z A R R O

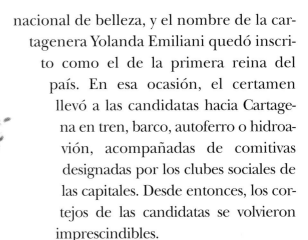

No es por azar que el Concurso Nacional de Belleza le pertenezca a Cartagena. Su ostensible condición de ciudad bella por excelencia la cataloga como el escenario ideal para la realización de este certamen que tomó arraigo allí desde 1934, cuando fue fundado, y que hoy, más de sesenta años después, sigue concitando la atención de los colombianos durante las fiestas novembrinas en las que se conmemora la independencia de la ciudad. Cartagena ocupa, pues, un sitio de honor en los afectos de los colombianos en la medida en que logra integrar la identidad nacional en torno de la belleza.

La historia del Concurso Nacional de Belleza, indiscutiblemente ligada a la delLa Heroica, tiene sus primeras raíces en 1920, año en que un grupo de cartageneros tuvo la idea de celebrar el aniversario de la independencia de la ciudad con un reinado de belleza, el cual se repitió en 1921, cuando la elegida, Tulia Martínez Martelo, tuvo la audacia de aceptar como premio un vuelo pionero en avión.

Trece años después, en 1934, para celebrar el cuarto centenario de la fundación de la ciudad se invitó a los departamentos del país a participar en un concurso nacional de belleza, y el nombre de la cartagenera Yolanda Emiliani quedó inscrito como el de la primera reina del país. En esa ocasión, el certamen llevó a las candidatas hacia Cartagena en tren, barco, autoferro o hidroavión, acompañadas de comitivas designadas por los clubes sociales de las capitales. Desde entonces, los cortejos de las candidatas se volvieron imprescindibles.

El concurso se reanudó trece años después, en 1947, gracias al empeño que puso en revivirlo Ernesto Carlos Martelo —quien fue también fundador del Diners Club de Colombia—, a la cabeza de un grupo de dirigentes cartageneros. Ese año, otra bolivarense, Piedad Gómez Román, fue coronada reina de belleza de Colombia. A ella le rinde homenaje hoy, cincuenta años después, la organización del certamen. A partir de ese año se estableció la convocatoria del reinado cada dos años, y en 1961, tres años después que Luz Marina Zuluaga obtuvo el título de Miss Universo, y con miras a que la reina elegida pudiera participar cada año en el evento universal, se determinó convocar el certamen anualmente a partir de 1962.

La cita anual en Cartagena no sólo pone de manifiesto el carácter alegre del temperamento cartagenero y costeño, sino que aglutina en torno de sí, todo un modo de sentir del pueblo colombiano, en un abrazo fraternal que se extiende a lo largo de las dos semanas que dura el concurso. En efecto, el certamen es un torneo de belleza tan popular que se vuelcan en él las expectativas y el interés de todos, al mismo tiempo que recoge el conjunto de nuestras tradiciones y valores en un despliegue vívido y colorido. No es entonces gratuito que miles de turistas nacionales y extranjeros se sumen a esta fiesta que exalta la belleza y las dotes espirituales de la mujer colombiana. La participación de todos los departamentos del país hace del concurso un crisol donde se funden los matices y se conjugan las costumbres de las diferentes regiones colombianas, desde La Guajira hasta Nariño, y del Pacífico al Atlántico.

El Concurso Nacional de Belleza es, además, un verdadero motor económico que genera trabajo e impulsa la actividad de todas aquellas industrias y empresas que se mueven a su alrededor. Su misión de certamen cívico ha hecho posible que los recaudos provenientes de fiestas, desfiles, banquetes y otros actos en los que participa la Señorita Colombia, se irradien a instituciones benéficas de todo el país.

Algo más de seis décadas de incansable trabajo han consolidado a la organización del Concurso Nacional de Belleza como una entidad seria y respetable. A ello, debemos decirlo, han contribuido no sólo los estamentos y medios de comunicación del país, que le han prestado un decisivo apoyo, sino el empeño denodado de un grupo de personas encabezado por Teresa Pizarro de Angulo, quien ha presidido de manera gratuita el certamen desde 1957 y es hoy, al cumplirse cuarenta años de su vinculación al concurso, su presidenta vitalicia.

Si la historia, siendo justa, le ha reservado a Cartagena el privilegio de ser Patrimonio de la Humanidad, el Concurso Nacional de Belleza, el máximo certamen nacional, le ha dado a la ciudad proyección mundial y le ha valido el afecto de todos los colombianos. De eso nos sentimos orgullosos, y no es para menos.

Las festividades novembrinas tienen su origen en la fecha en que Cartagena de Indias proclamó su independencia de España, el 11 de noviembre de 1811. Después que el alcalde lee el bando en el cual se ordena al pueblo divertirse, la ciudad entra en un frenesí de cuatro días presidido por la Reina Popular. Los fandangos y danzas amenizados por bandas papayeras copan las plazas, y en los barrios populares se baila sin cesar al ritmo de tambores y gaitas —y en los últimos tiempos también al son de los "picós", equipos de música con potente amplificación—.

The November festivities started at the time Cartagena de Indias declared its independence from Spain on November 11, 1811. After the mayor cried out the edict ordering the town to live it up, everybody went on a four day frenzy headed by a Popular Queen. Fandangos and dances are struck up every year by "papayera" wind bands, filling up the plazas with their music. Dancing along popular neighborhoods is non-stop, drum and powerful boom beats are incessant.

El Reinado Nacional de Belleza se sumó a las fiestas de noviembre desde los años treinta, y hoy están ambos totalmente integrados. Durante la Batalla de las Flores, las candidatas a Señorita Colombia desfilan en carrozas decoradas con diferentes motivos, y el pueblo se le une en ordenadas comparsas que no paran de bailar durante todo el recorrido. El desfile en balleneras por la bahía es uno de los actos de mayor colorido.

During the 1930's the National Beauty Queen Contest joined the November festivities, today they are all one and the same. During the Battle of the Flowers, Miss Colombia candidates parade on floats decorated with different themes, joined by townsfolk dancing along in costumed groups. The whaleboat parade along the bay is one of the most colorful events.

En la Zona Industrial de Mamonal opera desde hace ocho años la empresa **Dexton S.A.,** planta productora de poliestireno para los mercados nacional e internacional. En 1995 le fue otorgado el Sello de Calidad del Icontec y en 1996 la Norma Internacional ISO 9002 por la calidad de sus productos y servicios. Es además una entidad miembro del Programa Internacional de Responsabilidad Integral.

For eight years Dexton S.A. has been producing polystyrene at its Mamonal Industrial Zone facilities for local and international markets. In 1995 it was awarded the Icontec Quality Seal and in 1996 the ISO 9002 International Norm for product and service excellence. Additionally, it is a member of the Total Responsibility International Program.

CARTAGENA INDUSTRIAL

RODOLFO SEGOVIA

Cartagena, meca del turismo nacional: así la percibe la gran mayoría. Algunos recuerdan también la Ciudad Heroica, esa Cartagena de Indias que resume para los colombianos el sentimiento de hacer parte de una patria común. El "Corralito de Piedra" pertenece espiritualmente a toda Colombia. Lo que pocos sospechan, mientras la contemplan mecerse entre el mar y la historia, es que el 40% de su Producto Bruto Interno sea industrial.

Como resulta humano creer que las cosas son como siempre han sido, se ignora que la aurora de la industrialización de la Colombia republicana fue costeña. Después que el maremoto librecambista institucionalizado por la Constitución de Rionegro (1863) arrasara con los tímidos ensayos industriales de los artesanos y sus imitadores, el espíritu manufacturero renació en la Costa cuando la Constitución de 1886 restableció el equilibrio. Entrado el siglo XX, la preponderancia del café trastornaría las cosas, pero en 1899, los más altos galardones de la Exposición Industrial celebrada en Bogotá los obtuvo el Gran Bolívar (Bolívar, Atlántico, Sucre y Córdoba), seguido por Antioquia. Barranquilla iba a la vanguardia, secundada de cerca por Cartagena, la capital departamental.

Cuando Cartagena apenas comenzaba a despertar de su prolongado letargo decimonónico, consecuencia del terrible sitio de Morillo en 1815, que diezmó su población y liquidó a su clase dirigente, don José Jaspe fundó una fábrica de fósforos, que literalmente encendió el camino. Pero la llama era débil. La factoría cerró sus puertas en 1886, y se otorgó, previo concurso público, un monopolio nacional para la fabricación de fósforos. El señor Jaspe no resultó favorecido, pero su pariente Amaranto Jaspe había ya fundado en 1870 una empresa de manufacturas de carey, próspero negocio de exportación que aprovechaba ventajas comparativas.

A principios del siglo XX el comercio de la ciudad, otrora esclavo de la fluctuante navegabilidad del Canal del Dique, poseía —desde 1894— un instrumento confiable en la Cartagena Magdalena Railrod Company, operadora del ferrocarril de Calamar. El mejor y el más amplio puerto de Colombia fue entonces, como es ahora, el impulsor del progreso económico de La Heroica. Los excedentes del comercio, sumados a los de la ganadería, estimularon la iniciativa industrial. Al espíritu empresarial de Cartagena aportaron en especial los inmigrantes y sus descendientes. Los Lequerica fabricaban chocolates, velas y muebles, y don Nicolás Emiliani manufacturaba afamados cigarrillos. También la periferia costeña contribuyó con sus iniciativas. Los Vélez Daníes, importantes criadores y exportadores de ganado en pie a las islas del Caribe, cambiaron la fisonomía de Cartagena reemplazando el ladrillo tablón por baldaquines y mosaicos de su fábrica El Tendal. Y por su gran importancia se recuerda la Fábrica de Hilados y Tejidos Merlano, que en 1897 era la mayor textilera del país y que lo siguió siendo hasta desaparecer al finalizar la Primera Guerra Mundial.

Quizá por la vecindad con la antigua y aprestigiada Facultad de Medicina de la Universidad de Cartagena, única en la costa atlántica, la industria de las drogas curativas vivió un singular desarrollo en la Cartagena de fines del siglo XIX. Los hijos del farmaceuta español Manuel Román y Picón, llegado a la ciudad accidentalmente —náufrago en Punta Canoa cuando se dirigía a Veracruz—, elaboraban la cuasimilagrosa Curarina de Juan Salas Nieto (después Curarina Román) en su farmacia de la actual Calle Román. El laboratorio creció, y sus descendientes derivaron hacia la fabricación de gaseosas, y conservan todavía la propiedad del extracto de la insustituible Kola Román. Los hermanos Franco le hacían la competencia a la Emulsión de Scott en todo el territorio nacional, mientras que los hermanos Delgado libraban a los costeños de los parásitos con un infalible vermífugo, y el doctor Gastelbondo combatía el reumatismo de los climas húmedos con renombradas píldoras y gotas.

Ya en los primeros años del siglo XX, la cúspide de esa época pionera se alcanzó con la Cartagena Oil Refining Company, que en 1909 comenzó a destilar 400 barriles de petróleo importado. Su principal mercado era el queroseno para alumbrado, envasado en latas para todo el territorio nacional, al que sumaba la poca gasolina motor necesaria en esos tiempos. A pesar de una accidentada relación con el Estado —víctima de su propio éxito y de las envidias que despertaba—, la empresa, promovida y financiada por Diego Martínez Camargo, Francisco Burgos Rubio y Prisciliano Cabrales Lora, entre otros, conoció la prosperidad desde el primer momento. La refinería operó durante trece años donde hoy funciona la Base Naval del Atlántico. Fue cerrada por la Standard Oil de Nueva York, ya dueña de las acciones, para dar paso al nuevo alambique de Barrancabermeja (1923).

La industrialización del campo hizo su aparición cerca de Cartagena con el ingenio Balmaseda o de Marialabaja, donde en 1877 se invirtieron ahorros de los exitosos comerciantes Nicolás de Zubiría y los hermanos Stevenson. En el siglo XX surgiría también el importante ingenio de Sincerín, gestado por los emprendedores hermanos Vélez Daníes. En este mismo contexto fue notable la hacienda Buenavista (1872) del empresario comercial y minero, Juan Marinero y Trucco, quien tanto por su riqueza como por la amplitud de sus actividades empresariales dominó la vida económica de Cartagena en las postrimerías del siglo XIX. La gigantesca Buenavista se extendía desde Turbaco y Turbana hasta la bahía de Cartagena y comprendía el partido de Mamonal. Desde ahí se surtió de cal, ladrillo y tejas a una ciudad que reiniciaba su expansión urbana.

Los visionarios del Gran Bolívar gestaron el Packing House de Coveñas, enorme matadero y frigorífico

Entre las principales actividades que desarrolla la **Cámara de Comercio** figuran el Programa Agroindustrial de la Zona Norte de Bolívar para reactivar la vocación agrícola de los municipios del norte del departamento, el impulso al estudio de competitividad de Cartagena que se contrató con la firma Monitor Company y al específico del departamento de Bolívar, el Plan Estratégico Cartagena Siglo XXI, la privatización de la actividad portuaria y aeroportuaria, que ya es un éxito, la construcción de la Variante de Cartagena con sus trayectos Cordialidad-Mamonal y Mamonal-Gambote, la liquidación de las Empresas Públicas y la creación de Aguas de Cartagena para el manejo del acueducto y el alcantarillado, la creación del área metropolitana de Cartagena y la reglamentación del Distrito Turístico y Cultural.

Among the Chambeer of Commerce's most important efforts have been the North Bolívar's Agroindustrial Program to encourage agriculture among the department's northern municipalities, the Cartagena and Bolívar Department competitivity studies with the Monitor Company, the Cartagena XXI Century Strategic Plan, the port privatization, the Cartagena Highway with its Cordialidad-Mamonal and Mamonal-Gambote stretches, the liquidation of the Public Companies and the setting up of Aguas de Cartagena for aqueduct and sewer management, the creation of the Cartagena Metropolitan Area and the regulation of the Tourism and Cultural District.

que por lo hercúleo del proyecto se puede comparar con el tendido del oleoducto por la manigua desde los campos del Magdalena Medio hasta la bahía de Cartagena, obra que sentaría las bases para el actual desarrollo petroquímico de la ciudad. El Packing House tuvo una efímera existencia, barrida por errores de mercadeo y sobre todo por la Gran Depresión. Allí fueron a dar parte de las utilidades de la Cartagena Refining, y se frustró la esperanza de industrializar la principal actividad del campo costeño, frustración que perdura hasta nuestros días.

A esos esfuerzos industriales de fin de siglo no podía faltarles la fiebre del petróleo que enardeció la imaginación de los Martínez y de los Cabrales. Fueron años de lucha y de frustraciones en una epopeya mucho más larga y tenaz que la de quienes, como De Mares y Barco, finalmente adquirieron el billete premiado. Numerosas conmutaciones y permutaciones —con el gobierno y con compañías extranjeras— condujeron a don Diego Martínez Camargo —el mismo de la Refining, quien ya en 1901 encabezaba un emporio para fabricar hielo y la leche en polvo Lactina en Cartagena—, tras años de esfuerzos, al umbral de sus sueños: Cartagena y el departamento entero seguían expectantes la perforación del pozo de Turbaco, seguros de que, en 1912, el chorro saltaría en cualquier momento. No llegó, pero en esa aventura se vinculó por primera vez a Colombia, por gestión de don Diego, la Standard Oil de Nueva York.

En 1927, durante el fulgor de la "prosperidad a debe", se publicó *Cartagena: su pasado, su presente y su futuro.* Es una radiografía de la ciudad económica de hace setenta años. Ya estaba presente en Mamonal "La Compañía", así con mayúscula, que tanto influjo tuviera sobre el desarrollo de una ciudad que se sentía acomplejada por el arrollador empuje de su vecina Barranquilla. La Andian National Corporation Ltd., filial de la Standard Oil de Nueva Jersey, operaba el oleoducto con terminal en la Bahía de Cartagena. Sus empleados y obreros eran una privilegiada elite, con hospital propio, *chalets* en Bocagrande y procónsul gringo en la persona de su gerente, el capitán Flannegan.

No faltaban, sin embargo, establecimientos industriales de cuño local, herederos de esos pioneros de fines del siglo XIX. Las fábricas de jabón eran siete y dos las de chocolate, hoy todas desaparecidas. Una de éstas abordaba también la elaboración de puntillas, en riesgoso maridaje. Los Lequerica continuaban su tradición industrial con una de las dos fábricas de hielo (la todavía afamada Hielo Popa) y una próspera empresa de quesos y mantequilla. En el ámbito nacional era importante la fábrica de hilados y tejidos de punto Espriella y Cía., fundada en 1909. Existía la destilería del lamentadísimo ron Piñeres y seis fábricas de pasta, también desaparecidas. Las envasadoras de gaseosas eran tres, y las de sombreros dos. Funcionaba una fábrica de cervezas que pronto se fusionaría con Aguila de Barranquilla. Como corolario del puerto importador de trigo, subsisten de esa época dos importantes industrias harineras de las familias Del Castillo y De la Espriella.

En los años que siguieron hasta después de la Segunda Guerra Mundial, el movimiento portuario y comercial de Cartagena se multiplicó. J. V. Mogollón y Cía. se convirtió en uno de los gigantes papeleros del

Desde hace 15 años **C.I. Océanos S.A.** practica la acuicultura de mar, basada en la cría de camarones en tierra firme —produce 2.000 toneladas/año y procesa 1.000 a terceros—, además de la pesca de caracol, langosta y camarón, que distribuye en Colombia y exporta a España, Francia, Japón y Estados Unidos. En sus instalaciones de Mamonal (planta de proceso), las fincas camaroneras y la fábrica de hielo (Acuahielo) emplea 650 personas.

For 15 years this firm has been involved in aquaculture work, particularly in the land shrimp farming business, —2,000 tons per year for own use and 1,000 tons per year for third parties—, in addition to snail, lobster and shrimp fishing. It distributes throughout Colombia and ships to Spain, France, Japan and the United States. It employs 650 people at its Mamonal processing facilities, at its four shrimp farms, at its Acuahielo.

país, y apareció Indufrial, líder en la refrigeración comercial. De entonces data la industria de tintes El Iris, que ha prosperado frente a la dura competencia de las transnacionales. El Canal del Dique se profundizó y se amplió, la Troncal de Occidente la ligó estrechamente a su transpaís natural, el tráfico aéreo multiplicó el turismo y hasta se les dijo adiós a los aljibes con un moderno acueducto (¡al fin!).

Pero el hecho de mayor impacto en la vida económica de Cartagena, desde cuando se convirtió en terminal de la Flota de los Galeones en el siglo XVI, fue la instalación de la refinería de Intercol en 1957. Su presencia, con la construcción del gasoducto desde Jobo-Tablón, dio origen a Amocar y a Abocol, productores de amoníaco, ácido nítrico, urea y abonos complejos. Allí nació la industria petroquímica nacional a partir de 1964. Pronto siguieron Cabot Colombiana S.A. (1965), productora de negro de humo con fondos de las torres de refinación (arotar) de la refinería, Petroquímica Colombia S.A. (hoy Petco) y Dow Colombiana S.A., fabricantes de PVC y poliestireno respectivamente. Se trata de pujantes industrias que han crecido vertiginosamente desde sus modestos comienzos en 1965 hasta convertirse en factorías con economías de escala capaces de enfrentarse con éxito a la apertura económica. La propia refinería es hoy tres veces más grande (75.000 barriles diarios) de lo que fuera en sus orígenes, y ha añadido una planta productora de azufre.

Más reciente es la presencia suiza de Ciba-Geigy con su planta de insecticidas, y de la multinacional alemana Hoechst, fabricante en Cartagena de surfactantes para cosméticos y explotación de petróleo. Dow Química, por su parte, ha incluido en su complejo de Mamonal, herbicidas y fungicidas, y la elaboración de polioles para la producción de poliuretanos.

Con altibajos en su desarrollo por la dependencia de los mercados externos y de la política macroeconómica interna, el polo de Mamonal no ha cesado de ampliarse. Dexton y Propilco, fabricantes el primero de poliestireno y el segundo de polipropileno, son dos importantes ejemplos. Se ha demorado el lazo de integración con las unidades básicas de la industria petroquímica, en la que la refinería desempeña un papel importante aunque limitado. La falta de materias primas adecuadas y de una política estatal coherente ha alargado la espera más de lo conveniente para el país, pero ya se vislumbra, con la actividad de la Promotora de Olefinas y Aromáticos, una integración vertical de todos los procesos petroquímicos de la zona, con gran provecho para la competitividad del polo industrial más importante de Colombia.

La existencia de insumos termoplásticos y del gran puerto exportador ha traído inversiones en la industria de transformación plástica. Con Tuvinil S.A., fabricante de tuberías de PVC y de bolsas de polietileno, empezó este desarrollo en 1966. Luego apareció Polymer S.A., que ha cumplido su ciclo, y más recientemente Ambar S.A., que se especializa en filme termoencogible de PVC; Biofilm S.A., uno de los grandes productores latinoamericanos de polipropileno biorientado; Polybol S.A., que surte el mercado de bolsas industriales; y en etapa de iniciación, Royalco, ambicioso proyecto destinado a fabricar casas, bodegas, ventanas y hasta edificios de PVC.

La industria de la construcción tradicional está representada por Colclinker S.A., fabricante de cemento e importante exportador a granel, en instalaciones que

El **Grupo Coremar** es un consorcio con más de treinta años de experiencia en el uso de remolcadores, buques tanques, cargueros, graneleros, barcazas autopropulsadas, artefactos navales y lanchas rápidas, con capacidad de transporte de 40 operarios, para las distintas actividades del transporte marítimo internacional y de cabotaje. Operaciones de remolques oceánicos y salvamentos. Operaciones portuarias, aun en áreas restringidas y de difícil acceso. Operaciones de apoyo a la industria petrolera.

Santafé de Bogotá:
Calle 100 No. 8A-49 - World Trade Center (1006-07),
Fax No. 6113987
Teléfonos 6113950 - 6113960
Cartagena de Indias: Bosque Diagonal 23 No. 56-153,
Fax No. 662 7592
Teléfonos 662 6570 - 662 7208.

The Coremar Group enjoys over 30 years experience handling tug boats, tankers, freighters, bulk carriers, self-propelled barges, naval equipment and 40-seat fast boats, catering to international maritime and coastal shipping. It pursues ocean tug boat, search and rescue and port operations, including within restricted and difficult access areas. It is also involved in oil industry support work.

Santafé de Bogotá:
Calle 100 No. 8A-49 - World Trade Center (1006-07), Fax No. 6113987,
Teléfonos 6113950 - 6113960
Cartagena de Indias:
Bosque Diagonal 23 No. 56-153
Fax No. 6627 592,
Teléfonos 662 6570 - 662 7208.

se aprovechan además para el despacho de carbón (Cartagena es el segundo puerto carbonífero del país; el mineral de Carbones del Caribe S.A. arriba por el Canal del Dique). Importante también es Lamitec S.A., el más moderno productor latinoamericano de laminados tipo fórmica, con capacidad para surtir ella sola a Centroamérica y al norte de Suramérica. Menos exitosa ha sido la siderúrgica semi-integrada Sidenorte, cuyas instalaciones permanecen por el momento ociosas. En este acápite metal-mecánico debe mencionarse a Tubocaribe, empresa pionera en Colombia de la fabricación y recubrimiento de tubos de acero, principalmente para la industria petrolera. Menos conocida, quizá, ha sido la irrupción del sector alimenticio en el panorama industrial cartagenero, en parte para la exportación. La labor pionera fue obra de Vikingos S.A., todavía uno de los más significativos pescadores y procesadores nacionales de langostinos y otras faenas de pesca. A la explotación de los recursos marítimos se han volcado recientemente exitosos cultivadores de langostinos: Cartagenera de Acuacultura S.A., Colombiana de Acuacultura S.A. y Acuacultivos del Caribe S.A., a más de numerosos laboratorios para la producción de sus larvas y la empresa procesadora Océanos. La existencia de la amplia y segura bahía con sus servicios portuarios y de mantenimiento de embarcaciones menores, como Astilleros Vikingos S.A., ha sido factor de apoyo fundamental para la actividad atunera, en la que se distingue, por su vertiginoso crecimiento, Atunes de Colombia S.A.

También consecuencia de la excelencia del puerto es la modernísima maltería de Bavaria S.A., que procesa cebadas importadas a granel para el consumo cerve-

cero nacional. Y dentro del rubro alimenticio vale la pena resaltar PAD S.A. (Productora Andina de Acidos y Derivados), fabricante de ácido fosfórico grado alimentos, importante ingrediente de las colas negras y transformable en fosfatos para consumo animal y humano. Una moderna planta de fosfatos está en fase de diseño para instalarse en Mamonal, con miras a la exportación. El crecimiento de la diversificación de la industria cartagenera ha incluido la presencia de fabricantes de gases industriales como Agafano y Oxígeno Optimo. Como se sabe, estas plantas requieren una masa crítica para instalarse y son un excelente indicador de la madurez industrial de la ciudad.

Por último, hay que mencionar el polo de marroquinería que ha madurado en la Zona Franca Industrial, importante centro de valor agregado. Sobresalen la Concería Italiana y Colec Inv., así como Superior Brands, que manufactura juguetes caninos. Otros industriales de la Zona Franca se dedican a la transformación plástica, como Polyban, o al procesamiento de pescados y frutos del mar.

Todas estas empresas simbolizan, aun si son apenas modestos nichos industriales que miran hacia el exterior, la irrevocable vocación de Cartagena de ser ventana al mundo desde las tranquilas aguas de su rada, que imprimen carácter a su desarrollo manufacturero. Como en la época de la orgullosa Flota de los Galeones y de la Carrera de Indias, Cartagena es el conducto natural para el ingreso de Colombia en la aldea universal. Sin interferir con el turismo, y en parte complementándolo, la ciudad encara el mundo con una pujante y competitiva industria. Y estos no son sueños sino tangibles realidades.

El sueño de convertir a Cartagena en la Venecia de Suramérica, paradójicamente desvela a la empresa
Dragados y Construcciones de Colombia S.A. Su gran desafío es llevar a feliz término el proyecto Eje 2, que marca el despegue de La Heroica
hacia el siglo XXI mediante el saneamiento ambiental de sus cuerpos de agua y de los canales internos, la construcción de puentes,
la Quinta Avenida de Manga y sus paseos peatonales, la ampliación de las avenidas adyacentes y el embellecimiento de su entorno geográfico.
Dragacol tiene en su inventario otros proyectos importantes en el país. Actualmente es responsable del rescate de la navegación por el río Magdalena,
para lo cual adelanta trabajos a lo largo de más de trescientos kilómetros de longitud, desde Puerto Berrío, Antioquia, hasta Regidor, Bolívar, pasando por Barrancabermeja,
Puerto Wilches, San Pablo, Gamarra y La Gloria. También realiza las obras de adecuación del delta del río Sinú para controlar las inundaciones de su valle,
y el dragado de los canales de acceso de los puertos de Buenaventura y Barranquilla, y opera las dragas Colombia y Bocas de Ceniza.
Dragacol nació en Cartagena bajo el empuje de empresarios que tuvieron la visión de crear una empresa moderna y a la vanguardia en materia tecnológica, operativa
y ejecutiva. Con el lema "Los demás hacen lo posible, nosotros lo imposible", ha emprendido los más importantes proyectos de dragado
y construcción en los sectores portuario, fluvial y vial del país.

Paradoxically, the dream of making Cartagena the South American Venice gives sleepless nights to Dragados and Construcciones de Colombia S.A.
Its challenge is to conclude the Eje 2 project, which will evidence the Heroic City's take-off into the XXI Century via the environmental cleansing of its water bodies and internal channels,
the construction of bridges, Manga's Fifth Avenue and its pedestrian walks, the expansion of neighboring avenues and the embellishment of its geographic milieu.
Dragacol has other important projects throughout the country. It currently has the responsibility to restore navigation on the Magdalena River. It is working along three hundred kilometers
of its course, from Puerto Berrío in Antioquia, up to Regidor, Bolívar, past Barrancabermeja, Puerto Wilches, San Pablo, Gamarra and La Gloria. It also pursues upgrading
work on the Sinú River to control flooding of its valley, and dredging work on the Buenaventura port and Barranquilla port entry channels, and it operates the Colombia and Bocas
de Ceniza dredges. Dragacol was born in Cartagena thanks to entrepreneurs who had the vision of organizing a modern, state-of-the-art technological and operative firm. True to its
motto, "Others do the possible, we do the impossible", it has undertaken the most challenging port, river and highway dredging and construction projects in the country.

Toma Frontal de la Draga A Bray T No.1, en la desembocadura del río Magdalena, muelle Bocas de Ceniza, Barranquilla.

Front view of dredge "A Bray T No. 1", along the Magdalena River mouth, Bocas de Ceniza dock at Barranquilla.

Personal de Dragacol
ajustando un *ball joint* en la
draga Carolina C No. 3.

*Dragacol team adjusting a ball
joint on "Carolina C" dredge.*

Draga Josefina E No. 6, en la
Ciénaga de las Quintas, Bahía
de Cartagena de Indias.

*"Josefina E No. 6" dredge at
Las Quintas Marsh, Cartagena
de Indias Bay.*

Primer plano, cortador de la draga Mavi No. 2 (Página opuesta, foto superior derecha)

"Mavi No. 2" dredge's cutter, close-up. (Opposite page, upper right hand photo).

Draga Josefina A. No. 6, en el Caño de Bazurto. Al fondo, el Cerro de la Popa, Cartagena de Indias.

"Josefina A. No. 6" dredge on Bazurto Channel. Background, Popa Hill, Cartagena de Indias.

Vista lateral de la draga Carmenza B No. 5, Ciénaga de las Quintas, ejecución del proyecto Eje II.

"Carmenza B No. 5" dredge side view. Las Quintas Marsh, Eje II project.

Draga Colombia en el muelle de Bocas de Ceniza, puerto de Barranquilla.

"Colombia" dredge at Bocas de Ceniza, Barranquilla Port.

Draga Bocas de Ceniza en el
puerto de Buenaventura.

"Bocas de Ceniza" dredge at
Buenaventura Port.

Aspecto del cuarto de
máquinas de la draga Bocas
de Ceniza.

"Bocas de Ceniza" dredge engine
room view.

Vista frontal de la draga
Carmenza B No. 5 en la Bahía
de Cartagena de Indias.

"Carmenza B No. 5" dredge, front
view, on Cartagena de Indias Bay.

La **Sociedad Aguas de Cartagena**
maneja los servicios de acueducto y
alcantarillado de la ciudad desde el
25 de junio de 1995, tiempo durante
el cual ha logrado mejorarlos
constantemente con la recuperación
y el crecimiento de la infraestructura,
una buena calidad de agua mediante
la rehabilitación de las plantas de
tratamiento, y la gestión permanente
de capacitación y desarrollo de su
personal.

*The Aguas de Cartagena
Company has handled all City
aqueduct and sewer services
since June 15, 1995. During
this time it has continuously
improved them through
infrastructure upgrading and
growth, good water quality
through treatment plant
improvements and continuous
staff training and development.*

Moderna tecnología aplicada con equipos y procesos de telemando, congelador de tuberías, generador móvil de energía, unidad de inspección por televisión y de detección de fugas, son garantía del servicio. A esto se suman el correo electrónico para agilizar la comunicación interna y la incursión de Acuacar en el ciberespacio para conectarse con el sistema Internet. Su compromiso con los usuarios se expresa en el lema de la entidad: "**Aguas de Cartagena** se acerca a usted".

State-of-the-art technology applied with telecommand equipment and processes, its television inspection and its leak detection unit guarantee service. Added to this is internal E-mail and Acuacar's link to Internet. It's commitment to customers is reflected in its motto: "Aguas de Cartagena comes close to you".

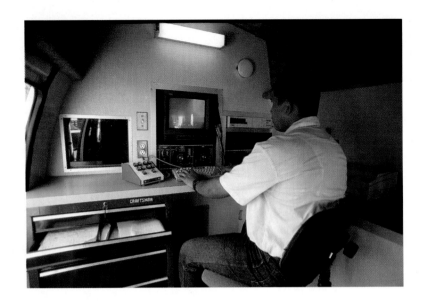

El socio-operador de los servicios, la Sociedad General de Aguas de Barcelona, posee una experiencia superior a los 125 años en el manejo de 600 acueductos en más de 70 poblaciones de Europa y América Latina.

El Distrito y **Aguas de Cartagena** invertirán este año alrededor de 60.000 millones de pesos para entregar, cada día, servicios más confiables y seguros.

The Sociedad General de Aguas de Barcelona operator-partner has more than 25 years experience handling 600 acqueducts throughout well over 70 European and Latin American cities. The Cartagena Water District will invest around 60,000 million pesos this year to provide better and more reliable services on a daily basis.

Rafael del Castillo & Cía. S.A. es
una de las empresas más antiguas
de Colombia, fundada en el año
de 1861 como casa comercial se
dedicó a la importación y venta de
mercancía en general. Desde hace
cincuenta años aproximadamente
inició la producción de harina de
trigo para panificación y hoy opera
un molino en la ciudad de
Cartagena con capacidad de 130
toneladas diarias la cual se
comercializa bajo la marca
registrada 3 Castillos. Desde su
fundación está en manos de la
misma familia y hoy es
administrada por la cuarta
generación.

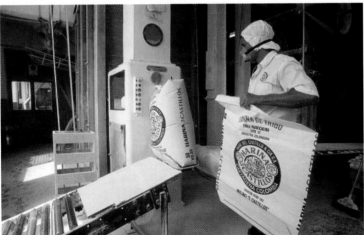

*Rafael del Castillo & Cía., S.A. is
one of Colombia's oldest firms,
opening in 1861 as a dry goods
import and trading concern. For
approximately 50 years it has
produced bread wheat and today it
runs a 130 ton per day flour mill in
Cartagena marketed under the 3
Castillos brand. It has always been
a family firm and is currently
managed its the fourth generation.*

El desarrollo colombiano tiene en **Proeléctrica**, de Cartagena, un modelo de participación interindustrial, que hoy genera y financia su propia energía y se asimila a una autogeneración colectiva. La producción de 100 megavatios de energía de gas, en ciclo stig, es un logro que, además de ahorrarle al Gobierno nacional 70 millones de dólares —monto de la inversión privada—, aporta lo suyo a la conservación natural de los ecosistemas de la ciudad.

Colombia's development has in Cartagena's Proeléctrica a model of industry teamwork currently generating and financing its own power, under a self-generation group effort. The stig cycle gas generated 100 megawatts is an achievement not only saving the National Government 70 million investment dollars, but also contributing to the natural conservation of the City's ecosystems.

El terminal de contenedores de la Sociedad Portuaria Regional de Cartagena cuenta con los más modernos equipos especializados en manejo de contenedores y carga general, facilitando y agilizando las operaciones de cargue y descargue de las Omotonaves.

The Cartagena Regional Port Authority's container port enjoys modern container and general cargo handling equipment, streamlining ship loading and unloading.

Regulaciones portuarias crearon nuevas entidades privadas para administrar y operar las instalaciones antes a cargo del ente gubernamental Colpuertos. Así nace la **Sociedad Portuaria de Cartagena** la cual empezó desde diciembre de 1993 a administrar el terminal marítimo de Manga. Es el primer terminal de contenedores de Colombia y cuenta con excelentes instalaciones físicas, modernas grúas y avanzados equipos para el almacenaje de todo tipo de carga.

Recent legislation has encouraged private agencies to manage and operate port facilities previously run by the government Colpuertos organization. The Cartagena Port Authority surfaced on December 1993 to handle the Manga maritime terminal, Colombia's first container port, boasting excellent installations, modern cranes and state-of-the-art storage.